JN263689

Illustration by Hiro Mashima

CONTENTS

FAIRY TAIL

心に宿るcolor

原作・イラスト：真島ヒロ

著：川崎美羽

講談社ラノベ文庫

イラスト／真島ヒロ
デザイン／Ｂｌｕｅ ｉｎ Ｇｒｅｅｎ

プロローグ

「何者だ！」

石造りの部屋の中——凛《りん》とした声が、部屋の中に響いた。

高い天井に足音が反響する。

「そこで、なにをしている！」

抜刀すら辞さない、怒りがこもった声に——部屋の中心部にある機械の陰から、人が這《は》い出てきた。

「ヒューズ！　今、なにをしていたのかと聞いている」

ヒューズと呼ばれた青年が顔を上げる。

整った顔立ちだが、ゆるんだ口元が妙にイライラさせられる。

「あの、王子……その……」

と、明確な答えは返ってこない。

王子と呼ばれた人物は、怪訝《けげん》な表情を浮かべながら、泳いでいるヒューズの視線を追う。

「……まさか！」

慌てて目ヒューズを押しのけると、壊れた機械に手をやった。

無理矢理、強制終了させたような振動が手に伝わってくる。

「壊した作製機を動かしたというのか……！」

「………」

「答えろ、ヒューズ！」

ヒューズは、胸元を掴《つか》み上げられ、あまりの苦しさに顔を歪《ゆが》めた。

「魔力がない世界なんて、ごめんだ……」

「だからといって……アニマは、もう展開しない！　無理矢理動かして、むこう——アースランドになにか影響があったら、どうするつもりだ！」

詰問されても、なにも返せない。

むこうの世界がどうなっても、関係ない。

今、大事なのは、自分たちがいるこの世界なのだから。

「ジェラール！」

部屋の扉で、王子——ジェラールを呼ぶ声がする。

「なんだ……？」

ヒューズを掴み上げる手を緩め、ジェラールが振り返る。

そこには、金色《ブロンド》の髪をショートにし、動きやすそうなボディスーツを着こなす女の子の姿が。

「ルーシィか……どうした？」

「今度は、G地区！　襲撃だ！」

「なんだと!?　昨日、追い返したばかりじゃないか！」

ジェラールが慌てて、部屋を駆け出す。

「私が出る！」

「待てよ、ジェラール。その傷じゃ、無理だろ」

ルーシィが、ジェラールの腕を取る。

掴まれたせいで、ジェラールの顔が苦痛に歪んだ。

マントで隠れていた腕には、痛々しいほどの包帯が巻かれている。

「ごめん……わざとじゃなくって……」

ルーシィが腕を放した。

「いや、いいんだ。それほど痛む傷ではない」

「でも……」

「傷が痛むと言って、民や君たちに任せるわけにはいかない」

「………」

言葉を返せないルーシィに向き直ったジェラールは、微《かす》かに笑みを浮かべる。

「むこうでは、こんな傷なんか気にもせずに、敵に向かっていくやつらがいるんだぞ？　私が泣き言を言うわけにいかないだろう」

「そうかもしれないけど……防衛隊を召集するから、それまで壁の内側で待機してろよ。G地区は、こないだ壁を修繕したばかり。少しなら、攻撃にも耐えてくれる」

「……分かった」

ルーシィにそう答え、ジェラールは部屋の中で無気力に立っているヒューズに声をかけた。

「そういうことだ。ヒューズ、行こう」

「………」

声をかけられたが、返事はない。

俯《うつむ》きながら、なにかブツブツと言っていることだけは分かるのだが。

「第三防衛隊長ヒューズ、行くぞ！」

「オレは……」

呼びかけられても、言葉が出ない。

悔しさから、体が震えているのが分かる。

「君の気持ちは分かる。だが、エドラスは魔力のなくなった世界――この世界で生きるため、今は戦うしかないんだ」

「あんたはいいよ……むこうの世界で、戦い慣れてる。だけど、オレたちは！」

ヒューズが顔を上げる。

うっすらと目には涙が浮かんでいた。

「オレたちは、魔力を使って戦うことしか知らないんだ！　ただの鉄でできた武器で戦うなんて……無理なんだよ」

「ヒューズ……」

ジェラールには、返す言葉がなかった。

つい最近まで、ジェラールは――アースランドでは、ミストガンという名前で、妖精の尻尾《フェアリーテイル》のS級魔導士として活躍をしていた。

元々こちらの、エドラスという並行世界《パラレルワールド》の人間だったのだが、自分の父であるエドラスの王ファウストのやり方に賛同できず、アースランドに行ったのである。

ファウストがやっていたこと――それは、超亜空間魔法アニマという、並行世界《パラレルワールド》であるアースランドから魔力を吸いとる魔法を使い、エドラスの有限である魔力を、無限で永遠のものにしようとしていたことだ。

アースランドでは、魔力は無限である。

そこから取って、なにが悪い！　という考えを、ジェラールは理解できなかった。

植物や動物、岩や山――そして、家や人でさえも、形のない魔力にしてしまうアニマという魔法が、おそろしかった。

故に。

ジェラールは、アニマを塞ぐためにアースランドで長きにわたり、暗躍していたのだ。

「…………」

自分の父と対峙《たいじ》することは分かっていた。

だが、両世界のためにやらざるを得なかった。

ある事件をきっかけに、アニマを展開する機械も壊してしまった。

自分がしたことだ。

だから、せめて――この世界を、魔力がなくなったため乱れたこの世界を平定したいと、立ち上がったのだ。

「気持ちが落ち着いたら、G地区に来てくれ」

そう言って、ジェラールは部屋を後にした。

「落ち着いたらって……おい！」

ルーシィが声をかけるも、ジェラールの姿はすでになかった。

「ヒューズ、行かないつもりか？」

　ルーシィは、ヒューズを見やった。

　返事は期待していなかった。

　だけど。

「参謀なんだってな、あんた」

「え？」

　言葉を投げかけられ、ルーシィが目を丸くした。

「えっ？　まぁ……うん。妖精の尻尾《フェアリーテイル》も、旧王国軍と戦ってくれたからって、みんな、それぞれ役をもらったよ」

「魔力がなくなって、どんな気持ちだ？」

　ヒューズがルーシィを見る。

　睨《にら》んでいるようにも、返事を懇願するようにも見える、複雑な感情を抱えた視線に、ルーシィは肩をすくめた。

「ぶっちゃけ、どうしていいか分かんないよ。最後の魔導士ギルドだった、妖精の尻尾《フェアリーテイル》は一時解散。新体制の王国に拾われても、今まで無茶ばっかしてきたからね……どう立ち回っていいいか、分かんない。だけど――」

「？」

「だけどさ、きっとあいつらなら、どこに行っても、自分の信念通りに動くと思うんだ」

「あいつら……アースランドの魔導士か？」

「そう。ヒューズも戦ったんだろ？　あいつらは、どこへ行っても信念を貫き通す。苦しくても、逃げ出したくても、諦めずに最後までやり通す。だから、ジェラールみたいに、あたしも見習おうと思ってさ」

そう言って、ルーシィは照れ笑いをする。

「育ってきた世界が違っても、同じルーシィだからね。あいつらに負けないよう、頑張ろうって決めたんだ」

「……そうか」

ヒューズが天井を仰ぐ。

「オレにも、同じやつがいるのかな……」

「いるだろ、きっと」

ルーシィはそう言うと、踵《きびす》を返した。

「モタモタしてらんない。行くよ、あたし」

走り去っていくルーシィを見て、ヒューズはため息をついた。

「諦めない……か。あいつら、今頃、なにしてんだろうな」

フィオーレ王国――その東方に位置する商業都市マグノリアに、そのギルドはあった。

非常識。自由奔放。猪突猛進《ちょとつもうしん》。圧倒的破壊力。

どの言葉をもってしても、そのギルドを言い表すことは不可能だ。

誰もが一度は聞いたことがある、止まることを知らない魔導士ギルド――その名は、

〝妖精の尻尾《フェアリーテイル》〟。

scene 1 猛《たけ》る！ 赤き炎

石造りの家々が並ぶ商業都市マグノリア。

その中央を流れる運河沿いを――金髪《ブロンド》をなびかせ、豊満な胸を揺らし、運河の塀の上をまるで子どものように歩いているひとりの少女がいた。

いや、少女というには、少々、年がいっているような気もするが、女性というにはまだ若い。

目も覚めるようなスカイブルーのミニスカートから伸びる足や、くびれた腰から、残念ながら少しも色気を感じないのは、きっと、腰に下げている丸めた鞭《むち》と幾本もの金銀の鍵のせいだろう。

歩く度に鍵がぶつかり、チャリチャリと音を立てる。

「うーん、今日もイイ天気！　きっと、いい報酬の仕事があるに違いないわっ！」

グーッと両手を空へと伸ばし、少女は、燦々《さんさん》と降っている太陽の光を全身に浴びる。

「ルーシィちゃん、元気だねぇ」

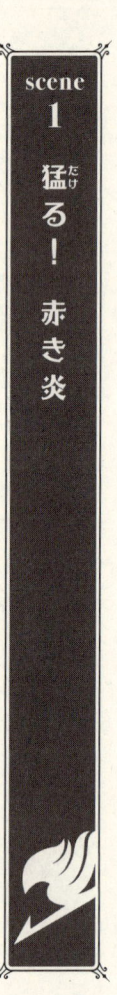

「今日も、ほどほどにしとけよぉ！」

運河を行く船上から、少女——ルーシィに声がかかった。

「はーい！」

と元気に返事をし、笑顔で船に手を振った。

「おじさんたちも、気をつけてね！」

そう言って、揚々と海へ向かっていく船を見送ったルーシィは、小さくため息をついた。

（ほどほどって、毎日暴れてるわけじゃないんだけど……）

ルーシィは、視線の先に見える建物を見やった。

町並みに合わせた石造りの建物は、まるで小さなお城のように見える。

屋根には旗が掲げられ、門の上には看板がかかっていた。

〝FAIRY TAIL《フェアリーテイル》〟

ルーシィの所属しているギルドだ。

この世界——アースランドでは、ギルドと呼ばれる組合があった。

情報や仕事を得られ、ギルドに入っていない職人は、半人前とされていた。

商人や傭兵《ようへい》、そして魔導士たちは、様々なギルドから斡旋される仕事を受け、報酬を得ることができる。

各ギルドを取りまとめるマスターによって特色があり、所属しているメンバーや規則によって、人気があったりなかったりする。

ちなみに、ルーシィが所属している魔導士ギルドは、魔法専門誌『週刊ソーサラー』で取り上げられるほど有名だ。

人気があるかどうかは別として、とにかく有名なのである。

そんな妖精の尻尾《フェアリーテイル》では、魔導士でなくてもギルドの酒場に入ることは可能であり、外にある売店では〝妖精の尻尾《フェアリーテイル》〟に所属している魔導士たちのフィギュアや、簡単な魔法を使えるようになる道具も購入することができる。

開かれた魔導士ギルド――それが〝妖精の尻尾《フェアリーテイル》〟だ。

商業都市マグノリアのテーマパークといっても、過言ではないだろう。

「ルーシィ！」

朝から賑《にぎ》わいを見せつつある、妖精の尻尾《フェアリーテイル》の酒場に入った途端、ルーシィに声がかかった。

ドタドタと駆け足で近づいてくる人物を見て、ルーシィは苦笑を隠せない。

動きやすそうなズボンは膝丈で絞っているし、上半身はベストのみだ。

お世辞にも、魔導士には見えない。

「ナツ、おはよう。朝から元気ね、あんた……」

「なんだ、具合でも悪いのか？」

ナツと呼ばれた少年は、ルーシィの顔を覗《のぞ》き込んだ。

少しつり目気味の瞳が、じっと見つめてくる。

ピョンと撥《は》ねた桜《さくら》色の前髪が、ルーシィの目の前で揺れた。

「別に、そういうわけじゃ――」

ルーシィが言いかけた瞬間、ナツが屈託のない笑みを浮かべた。

「じゃあ、行くか！」

ナツはそう言うと、ルーシィの腕を取って歩き始める。

「は？　いや、ちょっと！　なに？」

グッと立ち止まり、ルーシィは怪訝《けげん》そうにナツを見た。

「なにって……仕事だよ、仕事」

なに言ってんだ、と言いたげに、ナツが顔をしかめる。

（あー、もう！）

腰に手をあて、ルーシィはナツに詰め寄った。

「毎回毎回そうだから、今日は言わせてもらうけど！」

「なんだよ？」

「いくらチームだからって、毎回勝手に仕事決めないでくれる？」

そう。

ギルドの中では、特に仲のいいメンバーでチームを組むことがあり、組むことによって、ひとりではできない依頼や、より報酬の多い依頼を受けられるメリットがある。

ちなみにルーシィは、ナツやハッピー、グレイ、エルザの５人でチームを組んでいた。

能力的には、ギルド内でトップクラスのチームだ。

しかし、ルーシィを除くメンバー全員の常識が大幅に欠如しており、建物や物品の損害賠償、及び関係のない人への謝罪のための支払いで、毎回報酬はないに等しかった。

「この間、選ばせてやっただろ」

「そうだけど……」

（そうだけどっ！　誰かさんのせいで、報酬なかったんですけど！）

と言いたいのを堪《こら》えて、ジーッとナツを睨《にら》み付けた。

鋭い眼光のナツ。トレードマークの白銀色の竜のウロコを模したマフラーは、父親代わりであった火竜イグニールからのプレゼントらしい。

気温に関係なく、ずっとつけている。

「なんだよ……？」

ナツが不服そうに、口を尖《とが》らせていた。

（どうしようかな……）

裏表がなく、思い立ったら即行動というナツに、いつも振り回されてばかりだ。

だけど、このナツがいなかったら、ルーシィは今、ここにはいない。

ナツと動くことが多くなるのも、必然的なことだった。

（結局、なに言っても無駄なのよね……）

ルーシィは諦めて、ナツに向き直った。

「まぁ、いいわ。付き合ってあげる。で、今回の仕事は何？」

＊　＊　＊

揺れる汽車の中――ナツは顔を真っ青にして、ただひたすら、断続的に襲ってくる吐き気と闘っていた。

魔導士としての能力はズバ抜けて高いが、乗り物にはめっぽう弱い。

それも、会話ができなくなるほどに。

「毎回これじゃ、かわいそうになってくるわね……」

そう呟《つぶや》いて、ルーシィは、ナツの横に座っている、真っ青な毛並みの二本足歩行の猫

──ハッピーに話しかけた。

エクシードという種族で、翼《エーラ》という能力《アビリティ》系の魔法を使う、れっきとした魔導士だ。

エクシードは、元々アースランドには存在しない生物である。

別世界の──アニマと呼ばれる異次元空間を通って行ける、エドラスという並行世界《パラレルワールド》で生活をしていた。

ハッピーは特殊で、アースランドで卵から孵化《ふか》したため、エドラスについての知識はない。

ある事件──こちらの世界の魔力を、あちらの世界、エドラスのものにしてしまおうという極悪非道の行いを止めるため、ルーシィたちはエドラスで大暴れをした。

結果、エドラスの魔力は失われ、ギルドのメンバーであったミストガンも失うことになってしまったけれど、無事、こちらに戻ってくることができた。

ハッピーは、その事件でエドラスに行ってから、自分が何者なのか知ったのである。

知ったところで、なにが変わったわけでもないのだけども。

ちなみに──元々、体内に魔力を持っていたエクシードたちはみんな、魔力が無限に存在するアースランドに移住してきた。

どこかに住居を構えたことは知っていたけれど、それだけだ。

便りがないのは元気な証拠だと思っていたので、こちらから連絡をすることはなかったし、捜すこともしなかった。

「ハッピー、ごめん。もう一回、説明してもらえる？　ナツの説明じゃ、よく分かんなくって」

「あい！」

ハッピーはそう答え、考えながら言葉を続けた。

「オイラにもよく分からないんだけど、今朝、突然ギルドに連絡があって」

「連絡って……エクシードから？」

「あい。とにかく、困ってるって」

「困る……なにかしら？　そろそろ、こっちの生活にも、慣れてきた頃だと思ってたんだけど」

ルーシィは首をかしげた。

「シャルルもリリーも、まだ来てなかったし……とりあえず、オイラたちで行こうってナツと話してるところに――」

「あたしが来たから、捕まえたってわけね……全く！」

（でも、気になるわね……）

流れゆく景色に視線を移し、ルーシィは考えこんだ。

移住した際に、エクシードは、前向きにアースランドの生活を受け入れた。

元々、体内に魔力を持つエクシードは、たいていの問題を自分たちで解決してきた。

それがなぜ、今になって？

移住した場所も教えてくれなかったのに、なぜ？

疑問がフツフツと湧《わ》いてくる。

（きっと、自分たちでは解決できないなにかに、追いつめられてるってことよね……）

不吉な予感を感じながら、ルーシィはギュッと金銀の鍵を握りしめた。

「にしても、結構行くわね」

外の景色から町並みは消え、ゴツゴツとした荒れ地が見える。

行く手には、山ばかり。

「本当に、こんなところにエクシードが？」

と言わずにはいられないほどだ。

ルーシィの言葉に、ハッピーが答えた。

「フィオーレと隣国の境に、移住したみたいだよ」

「なんで、そんな不便な――」

言いかけて、ルーシィは口をつぐんだ。

彼らは飛べる種族だ。

その上、人間とは違う姿である。

偏見の目を逃れ、安息できるのなら――劣悪でない限り、住む場所にこだわりはないのだろう。

ガタン

大きな揺れとともに、汽車が止まる。
「な、なに⁉」
駅はまだ先だ。
止まる場所ではない。
辺鄙《へんぴ》な土地ではよくある、脱線事故だろうか？
ルーシィは慌てて立ち上がり、窓から外を見やった。
「！」
飛び込んできた状況に、目を丸くする。
汽車の前のほうで、黒い人だかりができていた。
目をこらすと、各々の手には剣や銃などの武器が見える。
（……強盗だわ！）
それも、手や体の一部に紋章が刻み込まれているところを見ると、どこかのギルドのようだった。

欲にまみれ、私利私欲にかられ、規約を守らずに正規ギルドから外されたギルドを、闇ギルドと呼ぶ。

きっと、その類《たぐい》だろう。

「ナツ！」

グッタリとしているナツに声をかけるが、返事はない。

相当まいっているようだ。

体を揺さぶっても、

「オエエエエ……」

と、かすれた声が漏れ出てくるだけ。

（どうしよう……）

言い争う声と発砲音──それと、乗客の悲鳴が、列車内に響きわたる。

こんな場所じゃ、軍隊の助けが来るにも時間がかかるだろう。

（こんな状態のナツじゃ……しばらく無理よね）

窓枠をギュッと摑《つか》むルーシィの右手の甲には、妖精の尻尾《フェアリーテイル》の紋章が刻み込まれている。

ここで逃げたら、妖精の尻尾《フェアリーテイル》の名が廃る。

「仕方ないわね……ハッピー、行くわよっ」

「どうしたの?」

キョトンとルーシィを見上げるハッピー。

「魚でも飛んでた?」

「――って、空気、読みなさいよっ!」

「怒りっぽいなぁ」

「そういうんじゃないでしょ!」

もそもそと小さな体を窓から乗り出し、外の状況を知ったハッピーは、ギョッとなった。

「こんなところで強盗? 行かなきゃ!」

「だから、そう言ってるじゃない!」

腰に下げた鞭《むち》を手に、ルーシィは窓から飛びおりた。

幸い、強盗は数人で、駆け寄るルーシィとハッピーには、誰も気付いていない。

「先手必勝!」

走りながら、鞭を構えるルーシィ。

「やめなさいっ!」

汽車の運転席部分に乗り込もうとしている男に、鞭をしならせる。

空気を切り裂くような音を立て、伸縮自在の鞭、星の大河《エトワールフルーグ》が意志を持ったように、男の腕に巻きついた。

「うぐっ⁉」

「よしっ！」

ルーシィは立ち止まり、グッと自分のほうへ引っ張る。

「ぐあっ！」

男が汽車から転がり落ち、背中から地面に叩《たた》きつけられた。

「なんだ、おまえは？」

人相が悪い男たちが、一斉にルーシィへ向き直った。

「軍の人間じゃ、なさそう……ん？」

「おい、女の手を見ろ！」

「〝妖精の尻尾《フェアリーテイル》〟だ！」

男たちがざわめく。

フィオーレ国内のみならず、諸外国でも話題に事欠かない魔導士ギルドの妖精の尻尾《フェアリーテイル》を、知らない者はいなかった。

「知ってるなら、話は早いわ。今すぐに、こんなバカなことやめなさいっ！」

ピンと鞭を構え、ルーシィは声を荒らげた。

（こっちはハッピーと2人……時間をかけたら、不利になる）

お互いに見えていても、時間が経《た》つだけである。

(ハッピーの翼《エーラ》で攪乱《かくらん》してもらうしか――って!)

「ハッピー、いないしっ!」

隣にいるはずのハッピーの姿は、見えなかった。

「え、どこ?」

キョロキョロと見回しても、どこにもいない。

(ちょっとぉ……!)

アワアワするルーシィを見て、男たちは嘲笑し始めた。

「なんだ、仲間がいねーのか」

「女ひとり、やっちまおうぜ!」

男たちは銃を構えると、ためらいもなく発射する。

殺しをなんとも思っていない撃ち方だ。

急所を確実に狙ってきている。

「いやぁぁぁぁぁ!」

ルーシィは、乱射される弾から逃れようと、背後にあった小さな岩に身を隠した。

(弾が尽きるのを待って……)

そっと様子をうかがう。

しかし、銃からは弾が途切れることなく、岩を狙い撃ちし続けていた。

(魔法の弾ってワケね……これから向かう先で、なにがあるか分かんないから、できるだけ魔力は温存しときたかったけど……)

ルーシィは、グッと唇を噛《か》んだ。

チャラと音を鳴らす鍵束を握りしめる。

(仕方ないわっ!)

男たちを見すえたまま、ルーシィは腰に下げていた鍵の束——その中のひとつを取り、頭上に掲げた。

「開け! 天蠍宮《てんかつきゅう》の扉……スコーピオン!」

ルーシィの声とともに、心地よい鐘の音がひとつ、周囲に鳴り響いた。

金色《ブロンズ》の鍵の先に、ヴンと魔法陣が現れる。

「ウィーアー!」

の声と同時に、空中に現れた魔法陣から、青年が飛び出てきた。

刈り上げた坊主頭にはラインが入り、口元には自信たっぷりの笑みを浮かべた青年は、サソリのような大きなしっぽを振り上げる。

「オレっちの助けが必要で?」

「そう。スコーピオン、あいつらをやっちゃって!」

「ＯＫ！　任せときな☆」

そう言って、ルーシィに向かってウインクをする。

その間にも、銃は向けられたまま。

身を隠した岩が、徐々に削られているのが分かる。

「かっこよく決めた暁には――」

「しばらく、アクエリアスとデートしてていいから、早く早くっ！」

「サンキュー☆　所有者《オーナー》」

そう言うと、スコーピオンは臆することなく、岩から飛びだした。

「オレっちに銃を向けるとは、イイ度胸だぜ！」

「あん？」

男たちが訝《いぶか》しげにスコーピオンを見る。

それもそのはず。

今まで、岩の陰にはルーシィしかいなかったのだ。

それが――出てきたのは、テンションが妙に高い男。

これには驚かずにはいられない。

「なんだ？」

「変身魔法か？」

自然と銃を撃つ手が止まる。

「ちがうっ！」

男のひとりが声をあげた。

「……あの女、星霊魔導士だ！」

と叫んだ、そのときだ。

スコーピオンは、自分の体ほどもあるしっぽの先を、男たちに向けた。

しっぽと思われていたのは、実は――大きな銃だったのだ。

「サンドバスター！」

スコーピオンが吼《ほ》える。

しっぽの先の銃口から、無数の砂が噴き出し、荒れ地は一瞬にして、砂嵐に見舞われた。

視界はゼロ。

この状況では、いくら魔導士の銃だからといっても無力に等しい。

「や、やべぇ」

激しい砂嵐に対抗できる術《すべ》がない男たちは、みんな、顔を覆って、口々に叫ぶ。

「ずらかるぞ！」

「退散！　退散だ！」

ルーシィは目をこらし、男たちが逃げていくのを視界にとらえた。

「スコーピオン、もういいわ。ありがと」

「ウィーアー！　じゃあ、オレっちはこれで」

そう言って、チャッと指をこめかみに当てる。

砂嵐は止《や》み、一気に視界が良好になる。

強盗をはたらいた男たちの姿は、もうどこにもない。

「スコーピオン、閉門《ブロンズ》！」

ルーシィが再び、金色の鍵を空中に掲げると、魔法陣が現れた。

その中に溶けるようにして、スコーピオンが消えていく。

「ふぅ」

小さく息を吐き、鍵を腰に戻すルーシィに、拍手喝采が送られる。

ずっと状況を見守っていた、乗員乗客からだ。

「えへへ……」

照れ笑いを浮かべ、ルーシィは急いでナツのもとへと戻るのだった。

＊　＊　＊　＊

「ったく！　急にいなくなるから、どこ行ったのかと思ったわ！」

山間部を歩くルーシィの横で、ハッピーが肩をすくめた。

「子どもが泣いてたから、あやしてたんだもん。しょーがないよ」

「しょーがないって……自分で言わないでほしいんだけど」

ハッピーをたしなめ、後ろを歩くナツへと振り返る。

いくらか楽になったものの、未《いま》だに本調子ではないナツは、しきりに——

「もう汽車には乗らない……」

と呟《つぶや》いている。

「乗らなきゃ、帰れないけど？」

「走る！」

「何日かかると思ってんのよ……」

やれやれ、と肩をすくめるルーシィの目の前が、急に拓《ひら》けた。

パンの焼ける、芳《こう》ばしいニオイが漂ってくる。

この周辺に、誰かが住んでいる証拠である。

「メシだ！」

「それを言うなら、村だ！　とかじゃないの？」

「同じだろ？」

ナツの声が元気になる。

「とりあえず、腹ごしらえすっか！」

「あのねぇ！」

言い合う声が村に聞こえたのか、それとも今か今かと待っていたのか――一匹の黒猫《エクシード》が、二本足で駆け寄ってくる。

「待ってたよ！」

「ナディ！」

久しぶりに見るエクシードのナディは、しばしの別れを告げたときのように、しきりに右手を振っていた。

本人曰《いわ》く、クセのようなものであり、動かさずにはいられないらしい。

それを見て、ルーシィはなんだか懐かしさを感じる。

「ささ、こちらに……シャゴット様が、待ってるよ」

ナディに案内され、ルーシィたちは村の中へと進んでいく。

人が住むには小さい素朴な家が建ち並び、時折、子どもの声も聞こえてくる。

「あら、子どもの声？」

気付いたルーシィに、ナディの口元が緩む。

「ここに定住するつもりで、育てようってなったんだよ。アースランドに避難させた子どもたちも捜さなきゃいけないんだけど、なかなか……」

「まだ見つかってないのね?」

ルーシィの言葉に、ナディはおずおずと頷《うなず》いた。

「アースランドは広大だよ。見当もつかないし、捜索は頓挫している状態だね」

「そう……」

返す言葉が見つからない。

(もしかして……依頼って、このことなのかしら?)

かつて——エクシードは、魔力がなくなりつつあるエドラスから子どもを逃がすため、アースランドに、卵の状態の子どもを送り込んだ。

その数は100。

ハッピーもその中におり、ナツに孵化《ふか》してもらえたイイ例である。

現在、ルーシィが確認できているのはハッピーと、同じギルドに所属しているシャルルの2人のみ。

残りの数を思うと、胸が痛んだ。

「おい、すげーな! ……ちゃんと村になってんじゃん」

ナツがあちこちを見ながら、感心したように呟《つぶや》いた。

果物の木々が植えられ、道ばたには花がそよぎ、畑からは芽が出てきている。

「まだまだだよ。エドラスのようにはいかなくても、もっと作り込まないと！」

ナディの断続的に振られている右手に、グッと力がこもる。

「ニチヤさんたち近衛《このえ》師団が、日夜警備にあたっても、限界があるしね」

「ニチヤが日夜って、シャレかよ！」

「ナツ！」

ツッコミを入れるナツをどついて、ルーシィは首をかしげた。

ナディの言葉が、どうも気になる。

「警備？　この辺って、そんなに物騒？」

と言葉を切って、

「あ……」

小さく声をあげた。

さっきの強盗団が脳裏に蘇《よみがえ》る。

（もしかして、まさか……困ってるって、そっち？）

「さ、着いたよ」

村の中でも、ひときわ大きな屋敷に通されたルーシィたちは、応接間に案内された。

エドラスでのシャゴットの暮らしと比べて豪勢——とはいかないが、それなりのもてなし料理が並んでいる。

「うっひゃー、うまそー！」

ナツが声をあげ、料理に手をのばした、そのとき。

部屋に、純白のエクシードがゆっくりと入ってくる。

深々とお辞儀されたルーシィは、慌てて立ち上がり、つられてお辞儀をした。

「ちょっと！」

食べ始めているナツは、ルーシィに小突かれ、歩いてくるエクシードに視線を移した。

装飾を施した服を身に纏《まと》っているエクシードは、エドラスにあったエクスタリア国の女王シャゴットだ。

今は国ではないので、女王と呼ぶべきなのか定かではないが。

（なんか……）

明らかに、疲弊しきっているのが見てとれる。

前々から、どこか儚《はかな》げな感じはしていたけれど、今は違う。

目の下にはうっすらと隈《くま》ができ、細かった体が更に細くなっている。

衰弱しているといっていいほどだ。

「ひゃごっとは（シャゴットか）？」

「飲み込んでから、しゃべれっ！」

ルーシィに言われて、ナツは口の中に入れていた骨付き肉を、ゴクと飲み込んだ。

「元気だったか？」

（それ聞いちゃ……）

ルーシィはおそるおそる、シャゴットを見つめた。

見ているこっちが、痛々しくなるほど。

寝ていたほうがよいのではないか、と言いたくなってくる。

それほど精神困憊《せいしんこんぱい》することとは、いったいなんなのだろう？

「ご足労いただき、申し訳ありません」

シャゴットは、弱々しく笑みを浮かべると、ルーシィたちの前に座った。

視線を落とし、なかなか言い出せずにいるシャゴットに、ルーシィが声をかける。

「なにか、困っていることがあるとか？」

「……ええ。その、私たちだけでは、もうどうにもならなくて」

「？」

ナツとルーシィは、顔を見合わせた。

目を伏せたまま、シャゴットは言葉を続ける。

「私たちは、自分たちの力で全てができると思ってました。皆の気持ちがひとつになった今だからこそ、自分たちで乗り越えられるものだと……でも、それは間違ってました。私たちは弱い。魔力が枯渇しないアースランドにおいて、私たちは限りなく無力です……」

シャゴットの言葉は震えていた。

「悔しいけれど、外部の誰か——あなたたちに、頼らざるを得なくなってしまいました」

「どういうこと？」

言っていることが、抽象的すぎてなんだかよく分からない。

（いったい、なんのことを言ってるの？）

考えられる原因が、頭の中でめまぐるしく回る。

子どもたちのことか。

さっき遭遇した強盗と関係があるのか。

それとも、別のなにかなのか。

（なにが原因だとしても……助けを求めてきた限り、シャゴットを救いたい！　だって、こんなにも……）

哀れむような視線を送ってしまっていることに気付き、ルーシィは、振り払うように首を振った。

この場を、そしてシャゴットを元気づけるために、ことさら明るく声をあげる。

「あたしたちができることなら、なんだってしてします！　そのために、ここまで来たんだし……ね？」

ルーシィに促され、ナツとハッピーが頷《うなず》いた。

「そうだよ！　オイラたちが力になるっ！」

「お、おう！　そうだ。オレたちは、なにすればいい？」

3人の言葉を聞いたシャゴットは、突然イスから立ち上がると、深々と頭を下げた。

「……ちょっと！」

「お願いです。民を守ってください！」

「状況がよく分かんないわ。とりあえず、顔を上げて」

ルーシィが、シャゴットに駆け寄る。

うっすらと目に涙を浮かべたシャゴットが、申し訳なさそうに顔を上げた。

口がわなわなとなるだけで、声になっていない。

「シャゴット……」

悲しみをたたえた瞳に見つめられ、ルーシィも言葉に詰まる。

「民が連れ去られ、奴隷にされているのです」

野太い声が聞こえ、ルーシィが視線を移すと、ドアのところに騎士風の格好をしたエクシードが立っていた。

「えっと……ニチヤ、さん？　奴隷って？」

「突然、失礼しました」

ニチヤと呼ばれたエクシードは、よく見るとボロボロだった。

腰に下げた剣の鞘《さや》に、うっすらと血が付いている。

(な、なに?)

ただごとではなさそうな雰囲気に、ルーシィは体を強《こわ》ばらせた。

同種族であるハッピーも、目を見張って、じっとニチヤの言葉を待っている。

「我々エクシードは、魔力を持ちながら無力同然。近隣の闇ギルドから狙われ、連れ去られたエクシードは——」

そこまで言って、ニチヤはグッと口をつぐんだ。

悔しさからか、唇を噛《か》み締めている。

「多いのね……」

「……多分、キミたちが想像しているよりも、遥《はる》かに多いと思うよ。四長老はおろか、腕の立つハンターであったサルバーレも捕らわれちゃったし……」

ナディはそう答え、肩を落とした。

「日に日に警備は薄くなる一方……アースランドに避難させた子どもたちを、捜索するヒマなんかなくて……」

「そうだったの……」

「女王様も限界なんだ。稀《まれ》に発動する予知能力のせいで、ろくに睡眠も取られていない状態だし……ぼきゅたちの力では、もうどうにもならない」

(うーん……)

こうなる前に、もっと他に方法はなかったんだろうか。

ルーシィがふと口を開く。

「引っ越しとか、考えなかったの？」

もっともな質問に、シャゴットが弱々しく答えた。

「ここに住みたいという、私のエゴです！　もっと早くにここから逃げていれば、こんなことには……」

「女王様のせいではありません！　親だったら誰だって、子どもを見守りたいって気持ちがあって当然のこと！」

ニチヤが声を荒らげた。

「だから、女王様がご自分を責めることはないのです」

(なるほどね)

リリーはともかく、ハッピーやシャルルの親の気持ちを考えれば、ここは定住するに適正な土地だ。

避難させた子ども――ハッピーやシャルルが住むマグノリアからはさほど離れておらず、人間が来るような場所でもない。

小さな問題なら、自分たちでどうにかできると思っていたエクシードに、引っ越しの選択肢はなかったのだ。

すぐそこに、子どもがいる。

少し飛べば、すぐに会える。

それは親にとって、なによりの幸せだ。

今まで子どもに会えなかった親の気持ちを考えたら、簡単に、移住先を変えるということもできなかったのだろう。

よしんば、当の親がいいと言っても、周りが反対する可能性もある。

今まで離れて暮らしてきたのだから、少しでも子どもに近い場所にいようじゃないか、と。

「人間からある程度の距離を置き、かつ、子どもの成長を見守れる場所が、ここだったのね……」

ルーシィは、うなだれているシャゴットの肩を摑《つか》んだ。

「大丈夫よ！　あたしたちがなんとかするから！」

「なんとかってさ」

ナツがあっけらかんと口を開く。

「つぶせば済む話じゃねーの？」

「あんたね、そう簡単に……相手は、どんなギルドか分かんないのよ？」

（下手に手を出したら、エクシードが報復されるかもしれないし……巨大な闇ギルドだったら、あたしたちだけじゃどうにもならないし……）

逡巡《しゅんじゅん》しているルーシィの横で、ナツは今にも飛びだしていきそうだ。

「関係ねーよ！」

ナツの周囲が、急に熱くなる。

体から、炎のようなオーラが噴き上がった。

周囲の温度が高くなる。

「ナツ……落ち着いて……」

「許せねぇだろうが！」

「……そりゃ、あたしだってそうよ！　人道的にも奴隷だなんて、ありえないわ！　だけど――」

「だけども、クソもねぇ！　行くぞ！」

ガタッとイスを倒し、ナツが立ち上がった。

もうこうなると、なにを言っても届かない。

歯止めがきかないのだ。

「ちょっと！」

ルーシィも立ち上がる。

怒りに燃えているナツの瞳に射貫かれ、ルーシィは目を閉じた。

(なに言っても、無駄か……)

自分の考えを振り払うように首を振ると、ルーシィは覚悟を決めた。

「……分かったわ。とりあえず、様子を見に行きましょ」

「おう！」

颯爽《さっそう》と部屋を出ていってしまうナツの背中を見つめ、ルーシィはひとつ、ため息をついた。

(様子見で済むかなぁ……)

「あの……」

2人のやりとりを見ていたシャゴットたちは、心配そうな表情を浮かべている。

ナディが、申し訳なさそうにルーシィを見上げた。

「戦わずに済むなら、戦ってほしくないんだ……だって、ぼきゅたちは、みんなを取り返してほしいだけだから」

「分かってる。とにかく行ってくるね！」

ナツを追いかけ、ルーシィとハッピーは屋敷を後にした。

考えなしに感情で動いていると思われがちのナツだけれど、実際はそうじゃないことをルーシィは知っている。

依頼人――エクシードの前では言えなかったけれど、ここは作戦を立てたほうがいい。

魔導士個人ではなく、闇ギルドが関《かか》わっているとなると、むやみに突っ込むのは自殺行為だ。

「よかった！　待っててくれて」

村の入り口で、立ち止まっているナツに追いついた。

ルーシィの言葉に、ナツは振り向かない。

じっと森の先を見つめたままだ。

「ナツ、どうしたの？」

ルーシィが心配になって、ナツの顔を覗《のぞ》き込もうとした、そのときだ。

「ハッピーは、村に残れ」

反論は許さないと言わんばかりの声に、ハッピーが目を丸くする。

「なんで？　オイラだって、戦えるよ！」

「そうよ、ナツ！　なんで、ハッピーだけ……」

戦力としては弱くても、ハッピーとは一緒に依頼をこなしてきた。

大事な仲間なのだ。

（それなのに、理由もなく……）

「オイラも村のために、なにかしたいよ！」

声を荒らげるハッピーの目線に合わせるように、ナツがしゃがみこむ。

「守ってろよ、村を。見ただろ？　ニチヤやシャゴットの顔。相当、疲れ切ってる」

「見たけど……」

「だから、オレたちがいない間、もし悪いやつらが襲ってきたら、ハッピーが守るんだ」

「オイラひとりで……村を守る……？」

不安な表情を浮かべるハッピーを鼓舞するように、ナツは満面の笑みを浮かべた。

「できんだろ？　ハッピー、おまえだって妖精の尻尾《フェアリーテイル》の魔導士だ」

ナツの言葉は、いつだってハッピーの心を熱くする。

ハッピーの口元に笑みが浮かんだ。

「う、うん！　オイラだって、できる！　待ってるよ！」

「よっし。じゃあ、行くか。ルーシィ」

「うん！」

納得したハッピーに見送られ、ナツとルーシィは山道を駆けた。

「ナツ、いいとこあんじゃん！」

「あ？」

怪訝《けげん》な顔で、ナツはルーシィを見た。

「正規ギルドが、闇ギルドを消滅させたように見せるためでしょ？」

「オレは、そんなこと……」

「闇ギルドだって、正規ギルドと同じように横の繋《つな》がりがある。エクシードのハッピーが混ざってたんじゃ、問題のギルドを潰しても、シャゴットたちは違う闇ギルドに報復されるかもしれない。ナツにしては、考えたわね！」

「うっせーな。行くぞ！」

「はいはい。照れ屋なんだから」

（そうよ……報復の狙いを、妖精の尻尾《フェアリーテイル》にしちゃえばいいんだわ！）

妖精の尻尾《フェアリーテイル》なら、報復されても返り討ちできる。

そう信じて、ルーシィはナツの背中を追いかけた。

＊　＊　＊　＊

「で、あそこがそうか？」

森を抜けた先——切り立った崖を根城にしている闇ギルドの拠点が、遠目に見えた。

まがまがしい紋章が描かれた黒い旗が、バンと掲げられている。

ここに来るときに遭遇した強盗に刻まれていた紋章と同じである。

「ナツ、飛び込まないでよ？　まずは様子見しなきゃ」

「めんどくせーな」

まぁ、ルーシィがナツの腕を取っているので、飛び込もうにも飛び込めないのだが。

（あの旗……どこかで……）

脳裏をよぎる不安。

だけど、どうにも思い出せない。

もどかしさだけが募っていく。

妖精の尻尾《フェアリーテイル》に所属してから、早1年。

何度か、闇ギルドと呼ばれているギルドと衝突し、その渦中にいたルーシィは、嫌な予感がしていた。

（……思い出したっ！）

「ナツ、応援を呼びましょ――って、いないいしっ！」

横にいたはずのナツはいない。

パッと視線を拠点に向けると、ナツが全身に炎を纏《まと》って突撃している。

「んな――――っ！」

頭を抱えたルーシィの視線の先――ナツはすでに臨戦態勢だった。

「ナツ、待ちなさいよっ！」

あわてて立ち上がるルーシィの背後に、人影が揺らめいた。

気配を感じたルーシィは、おそるおそる振り返る。

（……げっ！）

「おうおう、どこのお嬢さんだ？」

「さっきの星霊魔導士じゃねーか！」

「乗り込んでくるとは、いい度胸じゃん！」

（まずい……）

じりじりと後ずさりをするルーシィを見て、男たちは口元を歪《ゆが》めた。

「売り飛ばしたら、イイ値になるんじゃね？」

「だな。とりあえず、調教してから……」

「なっ！」

（ここで騒ぎを起こしたくないけど……もうナッツは突撃しちゃったし……）

グッと、ルーシィの目に力がこもる。

「あん？　なんだ、その目は？」

「もう一回、やられたいみたいね！」

そう言って、腰に下げた鍵を空中に差し込む。

星霊魔法を唱えようとした瞬間、

「開け――え？」

崖のほうで爆発音がする。

「オラアアアア！」

とナツの怒声が聞こえ、地面がズズッと揺れ始めた。

「おい、援護に行くぞ！　地下牢《ちかろう》が評議院にバレたら、まずい！」

「でも、この女は？」

「ほっとけ！　バレたら、今度こそやばい」

男たちが、血相を変えて崖の根城へと駆け戻っていく。

その拍子に突き飛ばされたが、幸い、ケガはない。

「いたたた……」

（でも、よかった……！）

星霊魔導士は接近戦に弱い。

顔をつきあわせた距離で、戦えるとは思えなかった。

尻餅《しりもち》をついたルーシィが、胸を撫《な》で下ろしたのもつかの間――ハッと我に返った。

「まずい、ナツを――って、もう止める必要もないか」

自分が妖精の尻尾《フェアリーテイル》だということは、さっきの列車強盗で相手にバレてしまっている。

（こうなったら、ナツと同じように作戦Tをするしかないわ！）

ルーシィは拳を力いっぱい握りしめた。

作戦Tとは——TOTSUGEKI《トツゲキ》のTである。深い意味はない。

「にしても……」

お尻についた砂埃《すなぼこり》を払いながら、ルーシィは強盗たちの言っていたことを思い出す。

(さっき、やつらが言ってた地下牢《ちかろう》って……エクシードが捕まってる場所よね、きっと。

評議院にバレたらって言ってたし)

評議院とは——魔法界の秩序を守る機関である。

政府や軍とも密な関係にあり、魔導士を裁くことができるのだ。

(地下牢……どこかしら?)

ルーシィの視線の先では、そこかしこで炎が上がっている。

ナツが暴れている証拠だ。

崖の穴から、何人もの魔導士が這《は》い出してきているのが、遠目にも見える。

(ここは、ナツに囮《おとり》になってもらって……)

ルーシィは、なにかひらめいたのか、ニヤリと笑った。

(イイこと思いついちゃった!)

そして、腰から下げた鍵のひとつを、空中に掲げる。

「開け！　処女宮《しょじょきゅう》の扉……バルゴ！」

心地よい鐘の音とともに、空中に魔法陣が現れる。

そこから、飛びだしてきたのは——両手首にちぎれた鎖のついた手錠をつけ、ミニのメイド服を着た、無表情の少女だった。

整った顔立ちに、妙に釣り合っている冷たい瞳がルーシィをとらえる。

うやうやしく、バルゴがルーシィにお辞儀をした。

「姫！　お呼びでしょうか」

「用があるから、呼んだのよ！　急いで、地下牢まで穴を掘ってちょうだい！　そこに、捕まったエクシードたちがいるはずなの」

「ほむ……」

バルゴは一瞬、首をかしげる。

「掘ったら、おしおきですか？」

「褒めるわよ！　お願い、早く！」

地下牢のエクシードが連れ去られてしまっては、元も子もない。

（ん？　待てよ？）

バルゴを急《せ》かしていたルーシィは、ふと考えこんだ。

さっきのやつらは、間違いなく地下牢に向かっている。

その上、目の前にいる星霊バルゴは、残念ながら戦闘向きの星霊ではない。

鉢合わせしたら、助けられるものも助けられなくなってしまうかもしれない。

「……バルゴ、あたしも行くわ」

「姫もですか？」

バルゴが、無表情で首をかしげる。

「ええ。だから、最短距離で進みやすいように掘ってちょうだい」

「……了解いたしました！　それでは――」

バルゴが空高く跳躍すると、空中でクルッと回転し、真下へ落ちてきた。

「姫、ついてきてください！」

落下の勢いを借り、そのまま地面を突き破っていく。

まるで柔らかいものを掘り進むように、バルゴの勢いはそのまま、地面の奥深くへと進んでいった。

「だ、大丈夫かしら？」

ルーシィは、こわごわと真っ暗な穴を見つめる。

しかし、行くと言った以上、このまま待つわけにもいかない。

「ん？」

地響きとともに、周囲の木々の葉が揺れる。

怒号と咆哮《ほうこう》、そして微《かす》かに聞こえる悲鳴。

もう悩んではいられなかった。

戦いの火蓋は切って落とされたのだ。

いくら、ナツの戦闘能力が桁外れとはいえ、ひとりvs.多数——それも、最大勢力である闇ギルドの傘下メンバー相手に、余裕なはずがない。

「よし、行くか！」

腰から下げた鞭《むち》——星の大河《エトワールフルーグ》をヒュンッと鳴らすと、ルーシィは鞭を片手に穴の中へと飛び込んだ。

＊ ＊ ＊

「きゃあああああああ……！」

ルーシィの悲鳴が、滑り台化した暗いトンネルの中に響きわたる。

(最短距離でって言ったのにい！)

グルグルとうねったトンネルは、お世辞にも最短で掘ったとは言い難い。

目が回り、フラフラになりつつあったルーシィの目の前が、急に明るくなる。

(で、出口……！)

力が入らなくなった手で、どうにか鞭を握りしめる。

「ひゃっ！」

勢いがつき、トンネルからポンッと出たルーシィは、剣を構えた男の胸に飛び込んだ。

「ぶっ」

したたか鼻を打ち付け、悶絶《もんぜつ》しているルーシィを睨《にら》み付ける男。

「なんだ、おまえは？」

剣を突きつけられ、ルーシィは涙目になりながらも体勢を整える。

「な、なにって……おい！」

鞭《むち》を構えた、その先には——すでにお縄についているバルゴの姿が。

「あんた、なにやって……」

「多勢に無勢でしたので」

「あほかー！」

ツッコミをいれるルーシィを一瞥《いちべつ》し、男は背後に声をかけた。

「この女はオレがやる。おまえらは、猫たちを連れて急げ！」

「はっ！」

（そうだ！）

ハッとなったルーシィは、地下牢《ちかろう》から連れ出されているエクシードたちを見た。

みんな、やつれて、歩くのもやっとという感じだ。

移動させるのに邪魔な足かせは外されているものの、手錠をかけられ、囚人さながらに歩かされている。

怒りが込み上げてきた。

「いったい、あんたたちに、なんの権利があって！」

「あ？」

「許さないんだから！」

鞭をヒュンッと鳴らし、ルーシィは男を睨み付けた。

「許さないから、なんだよ？」

男の剣から、炎が噴き出す。

（魔法剣士か……）

時間をかけているヒマはない。

エクシードたちが、次々と洞窟の奥へと連れ去られているのだ。

（急がないと……）

腰に下げている鍵に手をやった。

金色《ブロンズ》の鍵が、指にかかる。

見なくても、指の感触だけで分かる。

ルーシィは、鍵束から金色《ブロンズ》の鍵を2本取り出した。

「バルゴ、閉門！」

空中に鍵を差し込み、ルーシィが吼《ほ》える。

その途端、縄でグルグル巻きにされていたバルゴが、煙のように消え去る。

「な、なんだ？」

男が、バルゴのほうに振り返った瞬間、

「開け、人馬宮《じんばきゅう》の扉……サジタリウス！」

2本目の鍵を、空中に差し込む。

鐘の音とともに、魔法陣が現れた。

「それがしをお呼びですか、もしもし」

馬のかぶり物を身につけた、長身の男がルーシィの前に立った。

その手には、大きな弓を持っている。

「時間がないの。やっちゃって！」

「分かりました、もしもし」

サジタリウスは、グッと弓を構えた。

「黙ってやられるかよ！」

魔法剣士の男が飛びかかる。

「脇役なんだから、やられなさいよ！」

ルーシィの鞭《むち》が、男の足にからみつく。

「くっ！」

身動きの取れなくなった男に、サジタリウスの矢がヒットした。

くずおれる男を踏み台に、ルーシィがエクシードたちを追いかける。

「サジタリウス、急いで！」

「分かりました、もしもし！」

洞窟の奥へ駆けていくルーシィを追いかけ、サジタリウスも走り出した。

＊　＊　＊

「てめーら、絶対許さねーからな！」

ナツは、そう吼えると、自身を囲んでいる魔導士たちを一瞥《いちべつ》した。

口から炎を吐き出し、鋭い眼光からは怒りにも似た戦意が漲《みなぎ》っている。

「こ、こいつ……なんなんだよ」

魔導銃を撃ち込んでも、なぜか弾が当たる直前で燃え尽きてしまう。

斬りかかろうとしても高い跳躍でかわされ、ヒラヒラと舞う蝶《ちょう》のように捕らえることができない。

「……どうやったら、攻撃が効くんだ？」

取り囲んでいる魔導士たちの中には、明らかにひるみ始めている者もいた。

「知らないでやってんのか？　こいつ――」

ナツが大きく息を吸った。

「ゴチャゴチャうっせーよ！」

ぷうっと頬《ほお》が膨らむ。

「火竜《かりゅう》の……」

ナツは、両手を筒に見立て、それを口に当てた。

「咆哮《ほうこう》！」

ナツが声をあげると同時に、ナツの口から灼熱《しゃくねつ》の炎のブレスが、ものすごい勢いで、あたり一帯に放たれる。

「ぐあああああ！」

「なんだよ、こいつ！」

木々に炎が燃え移り、さながら地獄のようだった。

背後は自分たちの根城である崖。

逃げ道はない。

阿鼻《あび》叫喚《きょうかん》の中、ある魔導士が呟《つぶや》く。

「こいつが……滅竜魔導士《ドラゴンスレイヤー》!!!」

「だから、なんだよ？　相手が強いと逃げんのか？」

ナツが炎をまとったまま、にじり寄る。

一歩近づくごとに、ナツの炎が音を立てて噴き上がった。

その炎が、徐々に形を成していく。

まるで、天に吼《ほ》える火竜《サラマンダー》のようだ。

「相手の強さで、おまえらの態度は変わるのかって聞いてんだよ！」

答えはなかった。

元々、評議院の決定で――マスターを捕獲され、解散命令を出されたギルドだ。

散り散りになって逃げるのも速い。

あっという間に、ナツの視界から魔導士たちの姿が消えていった。

「おい、待てっ！」

ナツが追いかけようとした、そのとき。

ナツの肩を摑《つか》む者がいた。

「なんだよ……ルーシィ！」

「もう終わったの。ほら、見て！」

ルーシィが広げた手の先には、地下牢《ちかろう》から逃げ出してきたエクシードたちの姿があった。

みんな、ボロボロで立っているのもやっとだが、それでも表情は晴れ晴れとしている。

ずっと暗い地下牢《ちかろう》にいたのだ。

解放された喜びは、計り知れないだろう。

「今は……彼らを休ませることが先決じゃない？」

「……そうだな」

渋々納得したナツとともに、ルーシィはエクシードたちを案内しながら、山を下り、エクシードの村へと向かった。

本来なら、みんな翼《エーラ》を使えるのだが、闇ギルドの連中に奴隷として使われていたため、魔力が空っぽだった。

「まさか、助けが来るとは！」

「本当に感謝です！」

そう言ったエクシードたちの足取りは軽く、今にも、スキップしてしまいそうである。

明るさが取り柄の、エクシードならではだ。

「さ、急いで帰りましょ。みんな、心配してるわ！」

＊　＊　＊　＊

村の入り口では——ハッピーがひとり、棒きれを持って立っていた。

グッと前を見すえ、動こうとしない。

「かぁー、おめぇ。ちったあ、休んだらどうだ？」

ハッピーに泥棒ヒゲをつけたようなエクシードが、村の中から声をかける。

「ラッキーおじさん……そうはいかないよ。オイラだって、妖精の尻尾《フェアリーテイル》の魔導士なんだ。ナツやルーシィが頑張ってるのに、オイラが休むわけにはいかないんだ！」

そう言って、棒きれを握りしめる。

「おめぇ……」

ラッキーの目に、うっすらと涙が浮かんだ。

子どもを見守る温かな目——息子の成長を垣間見《かいまみ》たラッキーが、はなをすすった。

それが耳に届いてハッピーは、そっと振り返る。

「おじさん……もしかして」

ハッピーの言葉に、ラッキーが体をかたくした。

避難させた子どもたちが全員、親元に戻ってくるまでは、〝自分がハッピーの親〟だと言い出すことはしないと、自分の中で決めていたからだ。

女王のシャゴットも例外ではない。

彼女も、自分が母親だと言い出せないひとりだ。

「風邪？」

ハッピーの抜けた質問に、思わず肩を落としてしまう。

「かぁー！　んなもん、弱っちいのがかかるやつだ！」

知られてはいけないけれど、やはり、どこかでは知っておいてほしかった。

複雑な感情をおさえ、ラッキーはハッピーを見つめた。

「早く、相棒が帰ってくるといいな」

「あい！」

と、そこへ——小さな足音が村に向かってくるのが聞こえてくる。

「なんか来た！」

ハッピーが、頼りない棒きれを構える。

先がプルプルと震えていた。

「オイラが、守るんだ……！」

まんまるい目を見開き、森の中を見すえている。

「おじさんは下がって！」

声をあげたハッピーの、視線の先に現れたのは、ルーシィとナツ——それと、囚《とら》われていたエクシードたちだった。

「ハッピー！　守っててくれたのね！」

ルーシィに言われ、照れくさそうに頭をかくハッピー。

帰ってきたエクシードたちで、村の入り口が騒然とし始める。

それに気付いたシャゴットやニチヤ、ナディがあわてて入り口に駆けつけた。

「みんな！」

疲れ切った顔をしている、囚《とら》えられていたエクシードたちを見て、シャゴットが膝から
くずおれる。

「な、なんとお礼を言えばいいか……」

震える全身から声をふりしぼるシャゴットを前に、ナツとルーシィは顔を見合わせた。

「オレたちは家族同然。だから、遠慮せずに、またなにかされたら言ってくれよ」

「そうよ。またチャチャッとやっつけちゃうんだから！」

「おい、ルーシィ。おまえはなにもしてないだろ……」

シラーッと、冷たい目でルーシィを見やるナツ。

そんな視線を受け、ルーシィがグッと言葉を呑《の》み込んだ。

（なにもしてないとか……あっ！）

「エクシードを助けたじゃない」

「おまえじゃなくて、星霊がな」

「うっさい！」

「ナ、ナツさん、ルーシィさん……ありがとうございます！」

シャゴットが深々と頭を下げ、村に一気に活気が戻った。

「あ、そうだ……これ」

凄腕《すごうで》のハンターであるサルバーレが、懐からなにかを取り出した。

「地下牢《ちかろう》にいたとき、宝石が落ちてたんで拾ってきたんだ。使ってくれよ！」

「なんの宝石かしら？」

受け取ったルーシィが、丸みを帯びた手のひらサイズの宝石を見つめる。

燃えるような赤い宝石だ。

（ルビー？　いや、ガーネットかしら……）

どんな種類にせよ、高価なものに違いない。

「報酬は、あの……」

民を抱きしめたシャゴットが、ナツやルーシィを見上げた。

「んじゃ、これで」

ナツは、ルーシィが持っていた宝石を取った。

「高そうだし、これでいいよ」

「でも……それは……」

逡巡《しゅんじゅん》するシャゴットに、ルーシィが笑顔で言葉をかける。

「ナツがいいって言ってるんだし、いいわよ。今度は遠慮せずに、ギルドに遊びに来たら？　きっと、シャルルも待ってるし」

「そ、それは……いいんでしょうか？」

シャゴットの顔色が、パッと明るくなる。

ルーシィは、なんとなく気付いていた。

シャゴットとシャルルは、親子なのではないかと。

シャルルには、シャゴットと同じように予知能力がある。

そういう特殊な能力は、血筋ならではな気がする。

「いいんじゃね？」

ナツが満面の笑みを、エクシードたちに向けた。

「オレたちは、いつでも待ってるし。な？」

同意を求められて、ハッピーも大きく頷《うなず》いた。

「オイラたちは、いつだって歓迎だよ！」

その言葉に、ラッキーの口元に笑みが浮かんだ。

（親子、か……）

ルーシィの胸が温かくなる。

（あの人も……あたしのこと、想《おも》ってくれてるのかな？）

今は会えない父親を思うと、胸が苦しくなる。

（なに、感傷的になってるのよ！）

忘れようと首を振ったルーシィは、ナツとハッピーに呼びかけた。

「さ、帰りましょ。みんなも、休まなきゃいけないし」

＊　＊　＊

「これ、食べられるかなぁ……」

ハッピーが、もらった宝石をまじまじと見つめている。

「なんでもかんでも、食べようとしないの」

呆《あき》れたように言って、ルーシィは遠くなっていくエクシードの村を見つめた。

「ねぇ、ハッピー」

「あい？」

今にも宝石を口に入れようとしているハッピーが、手を止め、ルーシィを見た。

だけど、ルーシィは窓の外を見たまま。

「ルーシィ？」

「あ、ごめん。ハッピーはさ」

そう言って、ハッピーに向き直る。

「自分のお父さんやお母さんに、会いたいと思わないの？」

「？」

怪訝《けげん》そうな表情を浮かべたハッピーは、横で気を失いそうになっている、顔色の悪いナツを見た。

「オイラには、ナツがいるから」

「そっか」

乗り物酔いをしているナツを介抱し始めるハッピーを見て、ルーシィの顔がほころんでいく。

「ナツ、これでどう？　気持ちよくない？」

ハッピーが、ナツのおでこに宝石を載せている。

「冷たいよ？」

「って、それ！　使い方違うからっ！」

scene 2 桃色気分

「おああああああああ……！」

「ん？」

今日も仕事を求め、ギルドへと足を向けていたルーシィは、叫び声に視線を巡らせた。

「え、ナツ⁉」

真っ正面から、白銀色のマフラーをなびかせ、青ざめた顔でナツが走ってくる。

心なしか、げっそりしているようにも見えた。

「ナ……どうした――」

ルーシィが言い切るよりも早く、ナツは走り去ってしまった。

「な、なに……？」

あっけにとられ、ナツの小さくなっていく背中を見送るルーシィ。

しばらく待ってみたが、戻ってくる気配はない。

（いったい、なんなのよ……もうっ！）

気を取り直して、ルーシィは再び歩き出す。

第二の家とも言える──魔導士ギルド〝妖精の尻尾《フェアリーテイル》〟に向かって。

＊　＊　＊　＊

マグノリアの南方──巨大な湖を背に建っている〝妖精の尻尾《フェアリーテイル》〟は、今日も賑《にぎ》やかだった。

誰かが奏でる音楽がギルドの酒場に響き、誰かの歌声が来る者を出迎える。

そこかしこで笑い声が聞こえ、ふとした拍子に取っ組み合いのケンカが起こる。

今日はいつもより遅めに着いたせいか、酒場は大賑《おおにぎ》わいを見せていた。

「ルーシィ、おはよう！」

酒場のカウンターから声がかかる。

心地よく響くソプラノの声の主を見て、ルーシィは顔をほころばせた。

「ミラさん！」

ミラと呼ばれた銀髪の女性は、小さく手を振った。

ミラジェーンは、酒場の切り盛り、仕事の受注やギルドの雑事など、ギルドマスターの手伝い的なことをしている傍ら、魔導士の専門雑誌である、『週刊ソーサラー』のグラビアモデルをやることもある。

おっとりとした性格の女性なのだが、ルーシィがギルドに加入する前は、性格的にも、また能力的にも、おそろしく強い魔導士だったらしい。

ギルド内で上位に位置する魔導士を、S級魔導士と呼んでいるのだが、そのS級魔導士のひとりでもあった。

一時期、妹のリサーナを亡くしたと思っていたことにより、魔法は封印していた。

しかし、リサーナが戻ってきてからは、魔法を使うことをためらうことはなくなったのだ。

それでも、依頼をこなすことはしていないのだけれど。

「今日も元気ね」

ゆるやかにカーブする長い髪を下ろしているミラジェーンは、ニッコリと微笑《ほほえ》んだ。

「えー、いつもと一緒ですよう！」

そう言って、ルーシィは、カウンターのイスに腰を下ろした。

「今日は、なんかいい仕事あるかなぁ？」

「さっき、新しく来た依頼の紙を、ボードに貼っておいたわよ」

「ほんとですか⁉」

ルーシィは酒場の奥にある、リクエストボードを見た。

大きなボードには、所狭しと紙が貼ってある。

紙には——魔導士に依頼したい仕事の詳細や、その報酬が書かれており、その紙を持って、魔導士は仕事へと行くのだ。

紙は、早い者勝ちである。

不得意なものや、自分にはできない依頼しかないと、魔導士はその日することがなくなる。

俗に言う、食いっぱぐれるということだ。

リクエストボードの前に、まだ人がいないところを見ると、みんな朝ご飯中なのかもしれない。

「今のうちに、急いで見てこなきゃ！」

イスを鳴らし立ち上がるルーシィを見て、ミラジェーンがクスッと笑う。

「また金欠？」

「え、あ……まぁ」

ルーシィは言葉を濁し、恥ずかしそうに肩をすくめた。

「お嬢様なのにね」

「ミラさん、やめてくださいよ。家のお金、持ち出してきてないし……それに今はもう、アレですから」

そう言って、ルーシィは目を伏せた。

ルーシィの実家ハートフィリア家は、フィオーレで有数の財閥だった。

しかし、なにかのはずみで倒産し、父親は一から出直すため、現在は、昔所属していた〝LOVE & LUCKY〟という商業ギルドでお世話になっている。

そんな父親の心配よりも、今は――

(家賃の7万J《ジュエル》、今週中に稼がないとまずいんだよねぇ……)

ため息をグッと呑《の》み込んだ。

ルーシィは、今の家が気に入っている。

白木の柱、白い壁、ピザも焼ける石窯、運河沿いで風通しもよく、大きなお風呂と広い部屋。商店街も近く、好立地である。

若干、ギルドから遠いというデメリットもあるが、ダイエットのために歩くというのも悪くない。

滞納して、すぐに追い出されるということはないだろうけど、それでは気分がよくない。

というか、プライドが許さない。

「リクエストボード、見てきまっす！　今日こそ、仕事に行かなきゃ！」

「あら、ナッツやみんなと一緒に行くんじゃないの？」

ミラジェーンは、長い銀色の髪を揺らし、首をかしげた。

大きな目が、じっとルーシィを見つめてくる。

「へ、ナツ？　あぁ……さっき、来る途中で会いましたけど」

「ナツなら、グレイのご飯食べちゃって、さっき帰ったよ」

ルーシィの足もとで声がした。

視線を足もとに移すと、ハッピーが立っている。

「ハッピー、どういうこと？」

怪訝《けげん》な顔をしているルーシィの背後に、上半身裸の男が寄ってきた。

右胸に、ネイビーブルーの紋章が刻まれている。

垂れ目気味の眼光は鋭く、冷たい。

顔は整っているが、いかんせん、パンツ一枚で登場というのがいただけない。

「あのクソ炎がいけねぇんだ。人様のメシ、勝手に食いやがって」

「グレイ！」

背後に立ったグレイを振り返ったルーシィ。

おでこに刻まれた傷が、整った顔に妙に合っている。

チッと舌打ちをしているところを見ると、相当ご立腹のようだ。

「オレの冷え冷え定食を、勝手に食ったんだよ。自分の熱々朝セットと間違えたんだろ」

「あらぁ……」

ミラジェーンが、困ったように首をかしげている。

「ナツは、寝ぼけてたんだよう！」

ハッピーの言葉に、ルーシィは事の次第を理解した。

ナツは、炎の魔法を操る魔導士だ。

炎のドラゴン、イグニールから授かったという、失われた滅竜魔法を使う——

滅竜魔導士《ドラゴンスレイヤー》だ。

好物は炎や熱いもので、冷たいものは厳禁である。

逆に、このパンツ一枚男のグレイは、氷の造形魔導士であり、熱いものは苦手だ。

操る魔法のせいなのか、それともお互いの性格の不一致なのか知らないが、ナツとグレイは仲が悪い。

（でも、実際……）

ケンカするほど仲が良いという諺《ことわざ》もあるように、実際、ナツとグレイは語らずとも意思疎通ができているようにも見える。

見えるだけなのかもしれないが。

「ま、そういうことだからよ。ミラちゃん、もう一回、冷え冷え定食くれよ」

「はいはい」

ミラジェーンはニッコリ微笑《ほほえ》むと、奥のキッチンへと消えていった。

ナツも心配だが、グレイも大丈夫だったのか気になるルーシィは、ふとグレイを仰ぎ見た。

「で、グレイ、あんたは大丈夫——っていうか、服着てくれる？」

「うお！」

17年間、一度も異性と交際したことがないルーシィは、いくら仲間といえども、裸には抵抗がある。

グレイは脱ぎ癖があるので、そろそろ慣れてもいいものなのだが、ルーシィの性分的にそれは無理な相談だった。

ツッコまずにはいられないのだ。

グレイはグレイで、無意識に脱いでしまう癖があるので、ツッコまれて気付くことも少なくない。

というか、言われるまで気付かない。

「ねぇ、そういえば、ナツの食事は？」

炎があがっているものを、そのまま放置するのはまずいだろう。

(仕方ないし、あたしが片付けるかな……)

「心配無用です。ジュビアが処理しました」

「ジュビア、いたの⁉」

グレイの横から、水浸しのトレイを持って現れたジュビアを見て、ルーシィはビックリした。

音もなく、スッと現れたら、誰だってビックリするだろう。

「これ、下げますね」

トレイの上にあったであろうナツの熱々朝セットは、見るも無惨、ビショビショになっている。

「グレイ様のそばにあっては、危険ですから」

「ジュビアは大丈夫だったの？」

ルーシィが、不安そうにジュビアを見た。

ジュビアは水を操る魔導士だ。

以前は敵対するギルドにいたのだが、訳あって〝妖精の尻尾《フェアリーテイル》〟にやってきた。

その訳とは――

「す、すきな……人のため……なら……」

顔を真っ赤にし、ボソボソと答えたジュビアの声は、あまりにも小さく、酒場の喧噪《けんそう》にかき消されてしまった。

「え？　なに？」

聞き返したルーシィは、ジュビアの肩越しに見えるリクエストボードの人だかりに気付き、思わず声をあげた。

「あーっ！　ちょっと！　待って、待って！　あたしも選びたいーっ！」

慌てて駆け寄ったルーシィは、集まり始めたメンバーを押しのけ、リクエストボードの真ん前に入りこんだ。

「こ、これねっ！」

視界に飛び込んできた文字を、即座に読み取る。

晴れない霧の謎を解け
場所　キャクタス村
報酬　10万J《ジュエル》（追加報酬アリ）

（モンスター討伐系じゃないから、あたしにもできるっ！　しかも、これ1回で家賃払えるっ！）

ひったくるようにして紙を取ると、ルーシィはガッツポーズをした。

「よしっ、今日の仕事ゲットォ！」

「ルーシィはいいなぁ」

依頼書を手にしたルーシィの横で、大男のナブがうらやましそうな声をあげた。

「なによ、ナブ」

ルーシィは軽く睨《にら》み付けながら、ナブを見上げる。

とても大きいナブは――リクエストボードの前にいつもいた。

しかし、いつもいる割には、仕事に出かけているのを見たことがない。

本人曰《いわ》く「自分にあった仕事を待っている」らしい。

「ちゃんと、自分の仕事を見つけていいなって思ったんだよ」

「ナブだって、そのうち見つかるわ。じゃあ、行ってきます！」

そう答えると、ルーシィは嬉々《きき》としてカウンターに戻っていく。

「準備しなきゃ！」

と意気込んでいる横で、

「ふーん……ま、いいけどよ。でも、少なくねぇか？」

グレイがルーシィの紙を覗《のぞ》き込む。

「少なくないわよっ。これで家賃が払えるんだからっ！」

「いや、無理だろ。オレとハッピーとエルザで割ると、2万5000J《ジユエル》だ」

「ナツの分もあるから、ひとり1万J《ジユエル》だね！」

「なんで割るのよっ！　っていうか、ハッピーの計算、間違ってますから！」

つっかかるルーシィの足もとで、ハッピーが冷静に言った。

「だって、チームで行くんでしょ？」

「え……」

そう言われて、ルーシィの表情が固まった。

毎回一緒に行動しているわけではないが、ここ最近は、チームで一緒に動くことが多くなっていた。

別に、強制で一緒に動く必要はないのだけれど、改めて聞かれると、返答に困ってしまう。

（みんなで行くなら、もっと高額な報酬のやつにすればよかったなぁ……）

手元の紙を見つめる。

チームのみんなは、バランスが取れているし、妖精の尻尾《フェアリーテイル》の中でのトップクラスだとも思う。

しかし、ルーシィを除く全員に常識が欠如しており、報酬を満額もらえたことは、未《いま》だかつてない。

ルーシィが金欠の理由のひとつだ。

（ま、いっか！）

「そ、そうね。まだ日にちの余裕はあるし、みんなで行きましょっか」

とは言うものの、ルーシィはガックリ肩を落とす。

「じゃあ、オイラ、エルザを呼んでくる！」

ハッピーが酒場の中心へと駆け出した。

「あら？　エルザなら、S級クエストに行ってるわ」

ミラジェーンが、グレイの朝食を手に、ハッピーの言葉に首をかしげる。

「もう出発したはずだけど」

「S級クエスト？」

聞き返したルーシィに、ミラジェーンが笑顔で答える。

「明け方かしら。マスターに言われて、町を出たはずよ」

「そうなんだ」

エルザも、ミラジェーンと同様、S級の魔導士だ。〝妖精の尻尾《フェアリーテイル》〟最強の女と言っても過言ではない。

S級クエストは、通常の依頼よりも難しく、S級魔導士でなければ受けられない。

「じゃあ、エルザは抜きで――」

ルーシィが口を開いた、そのとき。

「おえええええええ……！」

カウンターで食事を始めていたグレイが、呻《うめ》いている。

「か、からっ……口ん中が、あちぃ……ぐはっ……」

「あら？」

ミラジェーンが、グレイの朝食を一口食べた。

顔色ひとつ変えず、モグモグと口を動かしている。

「うーん……お塩の分量、間違えたみたい」

平然と答えるミラジェーンの前に、突っ伏すグレイ。

「み、みず……」

そう言われて、黙っているジュビアではない。

自身の能力を使って、グレイの周囲に雨を降らす。

「あ、あのあのっ、これ……！」

「ちょっと、ジュビアー！」

慌てていたせいか、グレイだけでなく、横にいたルーシィの全身もずぶ濡《ぬ》れである。

「おい……！」

グレイがジュビアを睨《にら》み付ける。

「な、なにやって……」

「あう……ご、ごめんなさい」

グレイの視線を受け、ジュビアは雨を止めた。

「あらぁ……どうしたの？」

目の前の惨状を気にもせず、ミラジェーンはグレイにコップを差し出す。

「はい、どうぞ」

ミラジェーンから水を受け取ったグレイだが、どうやら飲む気力もなさそうだった。

「グ、グレイ様っ！」

ジュビアが取り乱して、グレイのそばでアワアワしている。

「グレイ、大丈夫？」

ルーシィが、グレイの顔を覗《のぞ》き込んだ。

ルーシィの豊満な胸が、グレイの目の前で揺れる。

「とりあえず、吐き出しちゃいなさいよ！」

「！」

それを見たジュビアが、ムッと頬《ほお》を膨らませる。

「おひとりで、行ってきたらいかがですか？」

「へ？」

「グレイ様は、私が介抱しますから！」

「でも、ハッピーが……あれ？」

エルザを捜しに行ったはずのハッピーは、同じエクシードであるシャルルの横にいた。

デレの要素が全くない、ツンツンしている純白のエクシードのシャルルは、常にウェンディという少女と一緒に行動している。

一時期、ハッピーには冷たく当たっていたのだけど、ある出来事をきっかけに、それもなくなった。

まぁ、仲が良いというわけでもないけれど。

「ちょっと、ハッピー？」

（一緒に行くって言い出したの、ハッピーでしょう！）

と言いたいのをガマンして、ルーシィはハッピーを呼んだ。

「あ！　ルーシィ、行ってきていいよう。オイラ、今日はここに残ってる！」

「あ、そう」

シャルルに話しかけているハッピーを見て、口元に笑みが浮かぶ。

なんだかんだいっても、シャルルもハッピーを気に入ってるようだ。

（ってことは、あたしひとりか）

大きく息を吐くと、ルーシィは握りしめていた紙をじっと見つめた。

（霧が晴れない……ね）

＊　＊　＊　＊

汽車を乗り継ぎ、ルーシィは最寄りの駅で降りた。

今朝の晴天から一転、空はどんよりと曇っている。

山から吹いてくる湿気を含んだ風が、体にまとわりついてくる。

「ここから先は、線路がないのね……」

顔をしかめ、地図を見つめるルーシィ。

どうやら目的の村へは、ここから徒歩かヒッチハイクしかないらしい。

砂煙が舞う、寂れた駅の周囲を見回してみても、レンタルの魔導四輪はおろか、馬車すらもない。

魔導四輪は、車の形をしているが、燃料は運転手の魔力だ。ハンドルの横にある、ＳＥプラグを腕に取りつけ、走らせる。

SELF ENERGY《セルフエナジー》プラグは、運転手の魔力を燃料にかえる装置だ。

故に、魔力を使えば使うほど、早く走る便利な乗り物だが、運転手の魔力が枯渇すると止まってしまうという諸刃《もろは》の剣だった。

まぁ、魔導四輪があっても、免許がないルーシィが運転することはできない。

もし、無免許で運転したとしても、ルーシィの魔力では、村に辿《たど》り着くことすら無理なのだが。

（困ったなぁ……）

徒歩で行くには、遠すぎる。

着くのが夜になるのは確実だ。

かといって、他に移動手段がないのも事実。

「うーん……あっ！」

駅前の小さな商店から人が出てくるのを発見し、ルーシィは小走りで駆け寄った。

「すみません。キャクタスの村へは――」

「キャクタス⁉」

声をかけられたしわくちゃの老婆は、疑《うたぐ》り深い目でルーシィを見た。

「なんだい、あんた。キャクタスに用かい？」

「ええ。この町から物品輸送してる馬車とかがあったら、一緒に乗せていただけたらな、と」

「ないよ、そんなもん」

「でも、キャクタスに行くには、この町から――」

「悪いことは言わない。今すぐ、帰るんだね」

そう言うと、老婆はひょこひょことルーシィから離れていった。

「ちょっと！」

ポツンと取り残されたルーシィは、口をへの字に曲げた。

「なによ、理由くらい教えてくれたっていいのに」

持ってきたボストンバッグを持ち直したルーシィは、遥《はる》か遠くに見える、草木の生えていない、ゴツゴツとした鉱山を見据えた。

鉱石を売って栄えてきた村、キャクタス。

その村から出されたＳＯＳ。

なんとしても行かなければいけない。

受けた依頼を、行く手だてがなかったという理由で放棄するのは、〝妖精の尻尾《フェアリーテイル》〟の名が廃る。

「なにがなんでも、ひとりでクリアするんだから！」

自分を鼓舞し、ルーシィが歩きはじめた、そのときだった。

先ほどの老婆が、馬車に乗ってやってくる。

ガタガタの荷台と老いた馬だったが、それでも、老婆が丹精込めて手入れをしているのが分かった。

馬車が、ルーシィの目の前で止まった。

「……おばあちゃん？」

「乗りな」

言って、老婆は荷台をさした。

「でも、さっきは——」

「気が変わったのさ。あんた、魔導士だね」

老婆の視線は、ルーシィの右手の甲に向けられている。

そこには、妖精の尻尾《フェアリーテイル》の魔導士である証拠の、ピンクの紋章が刻まれていた。

妖精の尻尾《フェアリーテイル》の魔導士は、誰でも、この紋章を体の一部に刻んでいる。

ナツは肩に近い右上腕部に、グレイは右胸に。

消えることはない仲間の証《あかし》だ。

「あんたに賭けるよ。さあ、乗りな」

「ありがとう！」

ルーシィが颯爽《さっそう》と荷台に乗り込むと、馬車がゆっくりと動き出した。

町の大通りを進んでいく荷台の上から、町中を見ていたルーシィは、疑問がフツフツと湧《わ》いてきた。

さっきから思っていたことなのだけれど、この町で人を見ない。

田舎の駅で無人というのはよくあることだが、町中で人をひとりも見ないというのは、どういうことなのだろうか。

（キャクタスの霧が晴れない現象と、なにか関係があるのかもしれない……）

「お祭しの通りさ」

ルーシィの不安が、顔に出ていたのだろう。

馬の手綱を操りながら、チラリと後ろを見た老婆が口を開く。

「ある日突然、あの鉱山から霧が発生した。あの村から、風に乗って流れこんでくる霧は、体を蝕《むしば》む。だから皆、家に閉じこもっておる」

「蝕む？」

病原体かなにかを含んだ霧なのだろうか。

だとしたら、なぜ、この老婆は動けるのだろう。

怪訝《けげん》そうな顔をしているルーシィに、老婆が言葉を続ける。

「どこが悪くなるというわけじゃないんだがね、グッタリと気力がなくなってしまう」

「そうなの……おばあちゃんは、平気なの？」

「平気もなにも、霧のせいで気力がなくなるなぞ、気のせいじゃゃ。そう思わんとやってられん」

気丈にそう答えると、老婆は手綱を鳴らした。馬の足が徐々に速くなる。

駅はすでに見えなくなり、町からも出て、ガタガタと舗装されていない道を走っていく。

山から流れてくる霧が、徐々に濃くなってくる。

「あの村からの鉱石が来ないと、この町も終わりだよ。あの鉱山から採れる鉱石は珍しいものなんだ。お客も、今か今かと待っている。しかし、材料が採掘されないことには、商品もできん」

（あ、なるほど……）

町の至るところに、アクセサリー店や武具店が並んでいた。きっと、持ちつ持たれつの関係でやってきたのだろう。

「だから、あんたには頑張ってもらわんといかん」

老婆の声が、微《かす》かに震えている。

「あそこの村長は、私の双子の弟でね……頼んだよ」

「任せて！　そのために来たんだから」

意気込むルーシィは、腰に下げていた鍵の束をギュッと握りしめた。

「星霊魔導士は、約束を必ず守るの。絶対、霧を晴らしてみせるわ！」

「星霊？」

驚いたように、老婆はルーシィを振り返った。

「そりゃ、また珍しい」

「おばあさん、知ってるの？」

星霊魔導士は、多少の魔力と星霊を呼び出す鍵さえあれば、名乗ることができる。

実際は、鍵で星霊を呼び契約しなければいけないのだけれども。

それでも、星霊魔導士は絶対数が少ない。

故に、一般の人たちには、あまり知られていないのが現状だ。

魔法とは無縁そうな老婆が知っていることに、ルーシィは嬉《うれ》しくなった。

「……遠い知り合いが、星霊魔導士でね。あんたみたいに、いつも鍵をジャラジャラ持ち歩いてさ」

「扉《ゲート》を開ける鍵を肌身離さず持ち歩くのは、星霊魔導士としての基本よ」

「あんたと同じことを言うとったよ」

「そうなの」

ルーシィは、見たことのない星霊魔導士に思いを馳《は》せた。

今まで出会ってきた星霊魔導士はみんな、星霊を酷使し、悪事に利用し、大事に扱っているようには見えなかった。

しかし、老婆が知っているという星霊魔導士は、ルーシィと同じ星霊を愛する魔導士のようだ。

「子どもがね……」

「え？」

老婆の言葉に耳をかたむける。

「子どもが泣くと、星霊を呼び出して歌を歌わせるんじゃ。それを聞くと、子どもは笑みを浮かべて寝入ってのぉ……」

「歌……リラかしら？」

琴座のリラは、歌とハープの名手である。

ルーシィも契約していて、たまに歌ってもらうと気持ちが安らぐのだ。

「あんたみたいな金髪《ブロンド》の星霊魔導士じゃ。なんと言ったかな……レイラなんとかだったと思ったが」

「レイラ⁉」

ルーシィは目を丸くする。

「もしかして……レイラ・ハートフィリア？」

「そうそう！　あんたも知ってるってことは、有名な魔導士なんじゃのぉ」

（それって、あたしのママ……）

クッと胸が熱くなる。

病気で亡くなってしまったママの話を、こんなところで聞くなんて。

「元気にしてるのかのぉ。あの魔導士なら、この霧も晴らせると思うんじゃが」

「だ、大丈夫よ！」

ルーシィの言葉には、力がこもっている。

「あ、いや……あんたが力不足だと言ったわけじゃなくてな」

「そういうんじゃないんだけど」

（ママの代わりに、あたしがやるわっ！）

意気込むルーシィは、老婆に言葉を続ける。

「あたしに任せて――うわっ！」

突然の揺れに、ルーシィは、体をしたたか荷台に打ち付けた。

「な、なに？」

悪路が続き、馬車ではこれ以上先へは進めないようだった。

よく観察すると、つい最近荒らされたようにも見える。

しかし、ここまで進めば、キャクタスまでは目と鼻の先である。

「おばあちゃん、ありがとう。ここでいいわ」

ヒラリと荷台から降りると、ルーシィは口元に笑みを浮かべた。

「安心して待ってて。すぐに吉報をお知らせできると思うから」

そう言って、ルーシィはキャクタスを目指し、歩き始めた。

これから、なにが待ち受けているか知るよしもなく。

＊　＊　＊　＊

「うわっ……なにこれ」

村に近づくにつれて、息苦しいほどの霧がルーシィを包み込む。

先が見えないほどではないにしろ、視界が悪い。

先ほどの町と同じように、人の姿はなかったが、閉めきった窓から、視線を感じる。

(とりあえず……)

村長の家と思われる、大きな屋敷に向かって足を進めることにした。

ジャリジャリッと、砂を踏む足音だけが、周囲に響きわたる。

(気が滅入《めい》りそう……)

寒気を感じ、ルーシィは両手で体を抱えながら、足を速めた。

「ここね……」

焦げ茶色のぶ厚い樫《かし》の扉を、勢いよく叩《たた》く。

待たされると思っていたが、すぐに扉は開いた。

「魔導士様、お待ちしておりましたぞ！」

今にも抱きついてきそうな老人に、ルーシィは笑みを浮かべ、部屋の中へと案内される。

老人の妻だと思われる婦人が、ルーシィの前に紅茶を出した。

温かな湯気が、強《こわ》ばり始めていたルーシィの体をほぐしていく。

「遠路はるばる、ご苦労様です。さっそくですが、本題に――」

「だいたいは、ここへ来るときに聞きました」

「はて？」

老人が首をかしげている。

「あなたの双子のお姉さんに、途中まで運んでいただいたんです」

「なるほど。それじゃあ、話が早い。霧の発生は、鉱山の採掘場の奥からなのです。霧を晴らしてもらわないことには、生活ができんのですよ」

「原因は分かりますか？」

老夫妻は顔を見合わせた。

「なにか、変わったことでもいいんです」

ルーシィの問いに、老婦人が声をあげた。

「霧が出てきた日に、新しく来た採掘士が行方不明になりましたわ」

「新しく来た？」

ルーシィが顔をしかめる。

「行方不明って、捜さなかったんですか？」

「なんていうか、不気味な方でねぇ……ねぇ、あなた」

「むやみなことを言うんじゃない」

老人の厳しい声に、老婦人が口をつぐむ。

（なにか後ろめたいことでもあるのかも！）

2人の気まずい雰囲気を払拭するように、ルーシィは体をズイッと前に進め、口を開く。

「いや、なにか関係しているかもしれません。詳しく教えていただけませんか？」

老夫婦は顔をしかめた。

「ここで聞いたことは、他言しません。依頼を完遂させるためには、些細《ささい》なことでも聞きたいんです」

そんなルーシィの言葉を聞いて、老婦人はおずおずと答え始める。

「顔にね、その……タトゥーみたいな模様が彫ってあったんです。こういう感じの……」

老婦人が紙に描《か》いていくタトゥーの形を見て、ルーシィはハッと息を呑《の》んだ。

（これって……！）

見たことのある紋章。

忘れもしない。

ルーシィを誘拐し、〝妖精の尻尾《フェアリーテイル》〟のギルドを破壊した〝幽鬼の支配者《ファントムロード》〟の紋章だ。

（解散命令が出されたはずなのに……）

誘拐され、痛めつけられた――あのときのことを思い出し、ルーシィの体が微《かす》かに震え出す。

（ダメだ……この人たちは、助けに来てくれるのを待っていたんだから、不安を知られちゃダメ……）

不安を振り払うように、痛いほど拳を握りしめる。

でも、なぜ。

（珍しい鉱石を狙って来た、とか？）

鉱石は高く売れる。

それも珍しいのなら、なおさらだ。

それを独占しようと思う悪いやつが現れても、おかしくはない。

「なにか関係ありますかねぇ？」

「あるかもしれません」

そう答えるのが、やっとだった。

不安を知られぬよう、ルーシィはスクッと立ち上がる。

「とりあえず、現地に行ってみます」

「よろしくお願いします」

「採掘場は、この道をまっすぐ行けば、すぐに着きますから」

「分かりました」

強《こわ》ばった笑みを浮かべ、ルーシィは霧の中へと足を踏み出した。

「案内、しましょうか?」

「いえ、大丈夫ですよ」

そう言って、霧の中へ消えていくルーシィの背中を見つめ、老人が呟《つぶや》いた。

「これで3人目か……今度は無事に帰ってきてくれるといいが」

＊　＊　＊

「話し合い、なんて無理よね……」

薄暗く湿った洞窟の中を、目を細めながら進んでいくルーシィ。

明かりがなくても進めるのは、洞窟全体が、むき出しになった鉱石によって微《かす》かに光っているからだ。

時折、どこかから水滴の落ちる音が聞こえてくる。

それ以外は、自分の歩く足音だけ。

それも洞窟内なので、反響して聞こえてくるのが、どうにも気持ち悪い。

逃げ出したい気持ちを抑え、ルーシィは奥へと足を進める。

最初は家賃を払いたい一心だった。

断ったら、プライドが傷つくというのもあった。

だけど、この件に関《かか》わる人たちに触れ、ママのエピソードを聞き、どうしても完遂させたくなった。

（なんとしても、成功させるのよ！）

キッと前を見据えた瞬間、奥から声が聞こえてきた。

「誰だ！」

聞かれて、答えないわけにはいかない。

「妖精の尻尾《フェアリーテイル》の魔導士よ！　霧を晴らしにきたわ」

ルーシィの声に、舌打ちが返ってくる。

「あんたの正体は分かってんだから！　〝幽鬼の支配者《ファントムロード》〟は解散したはず。魔法を使っての悪事は、評議院にも裁かれるわよ！」

「んなこたぁ、分かってんだよ。それが怖くて、はぐれ魔導士なんかやってられっか！」

「今すぐ霧を晴らしなさい。じゃないと、痛い目に遭うわよ！」

「クソうるせぇ女だな」

言いながら、霧の向こうから人影が揺らめいた。
（名のある魔導士だったら、こっちがやられる……）
鞭《むち》を構え、ルーシィは人影が動くのを待った。
不安と緊張で、呼吸が乱れる。
（落ち着いて……）
と自分に言い聞かせても、震えが止まるはずもない。
幽鬼の支配者《ファントムロード》に誘拐されたときのことが、頭の中でフラッシュバックする。
あのときは――ひとりでは、どうにもならなかった。
逃げ出すことさえ、できなかった。
仲間がいたからこそ、ルーシィは助かったのだ。
目の前にいる相手はひとりだけど、紋章を見るだけで脳裏に恐怖が蘇《よみがえ》る。
徐々に、濃霧が肺の中を満たしていった。
（……あたしだって、妖精の尻尾《フェアリーテイル》の一員なんだからっ！）
「来ないなら、こっちからっ！」
叫ぶと同時に――ヒュンッと空を切るようにして、ルーシィの鞭がしなった。
（そこねっ！）
なんとなく当たりを付け、振った鞭が相手の腕にからみついたようだ。

手応《てごた》えを感じたルーシィは、力いっぱい、自分のほうへと引き寄せる。

「くっ……重っ……！」

歯を食いしばり、相手を霧の中から引きずり出す。

自分の前へと現れた相手は——見たこともなかった。

（なんだ、よかった……下位の魔導士だわ、こいつ）

ホッと気が緩んだ瞬間だった。

「おまえ、ルーシィ・ハートフィリアか……！」

霧の魔導士が、瞬時に印を切った。

薄暗い洞窟内に、幾重にも描かれた魔法陣が現れる。

「お嬢様に負けるほど、落ちぶれてねぇよ！」

魔法陣から、白い煙でできた大きな腕が、ルーシィに向かって伸びてくる。

両手で鞭を持っていた無防備なルーシィは、そのまま、その腕にはじき飛ばされた。

「つく！」

全身が痛むが、気にしていられない。

腰に下げていた金色《ブロンズ》の鍵を1本取り、虚空に差し込むように掲げた。

「開け、金牛宮《きんぎゅうきゅう》の扉！　タウロス！」

ルーシィが叫んだ瞬間——心地よい鐘の音とともに、まばゆいまでの魔法陣が現れた。

「MO《モオ》――――――！」

咆哮《ほうこう》しながら魔法陣から現れたのは、マッチョな人型の牛だった。

海パン一枚、片手に3メートルほどの大きな斧《おの》を持っている。

ルーシィが契約している星霊の中でも、トップクラスの力《パワー》を持つ星霊だ。

しかし、

「相変わらず、ルーシィさんはイイ乳してますなあ」

と、性格には難ありである。

「いいから。タウロス、やっちゃって！」

「MO《モオ》！」

大きな斧をいとも簡単に振り回し、タウロスは腕に向かって突進していく。

が、腕は霧散するばかりで、すぐに再生してしまった。

「MO《モオ》、これは……」

「ターゲット変更！　本体をやって！」

「了解！」

視界の悪さは、タウロスには効かなかった。

霧の魔導士に向かって、斧を振り下ろす。

「やった！」

ルーシィが拳を握った瞬間、タウロスが勢いよく吹き飛ばされた。

避けることもできず、ルーシィも一緒に吹っ飛ばされる。

「ぐはっ！」

「いったい、なにが……？」

したたか背中を打ち付け、よろめくルーシィとタウロスの視界に、霧の魔導士を守るようにしている霧の腕が飛び込んでくる。

霧でできた腕が武器では、こちらが不利。

「これじゃあ、埒《らち》があかない……。タウロスじゃ歯が立たないの……⁉」

「MO《モオ》すみません」

「謝ることじゃないわ」

そう言って、ルーシィは霧の魔導士を見据えたまま、鍵の束を手にした。

契約している星霊の数は、星霊魔導士の中でも上位に入るルーシィだが、この現状を打破できる星霊は数少ない。

（近距離が無理なら、長距離攻撃しかない！）

「タウロス、閉門！」

金色《ブロンズ》の鍵を空中に差し込むと、先ほどと同じ魔法陣が現れ、タウロスはその中に溶けこむようにして消えていった。

星霊魔法は、1体しか呼び出せないのが基本である。複数同時召還は所有者《オーナー》の体に多大なる負担をかけ、時には死に至ることもあるのだ。

同時召還できる星霊魔導士もいるのだが、ルーシィでは魔力が足りず、できないのが現状だ。

(長距離……弓の使い手、サジタリウスしかいないわ!)

鍵の形状で、見なくてもどの鍵か分かる。

手探りで鍵を引き抜き、ルーシィがサジタリウスを呼び出す鍵を頭上に掲げた。

「開け、人馬《じんば》宮《きゆう》の扉! サジタリ——きゃあっ!」

が、霧の腕が、魔法陣召還を拒むように薙《な》ぎ払う。

勢いで、手にしていた鍵の束が地面に転がった。

(しまった!)

いくら金色に光るとはいえ、この濃霧で視界はゼロに近い。

攻撃をかわしつつ、鍵を探すことは不可能だった。

(サジタリウスなら……倒せると思ったのに!)

ギリと歯がみし、ルーシィは霧の魔導士を睨《にら》み付けた。

「星霊がいなけりゃ、ただの小娘。いや、いても星霊なんぞ飾り同然か」

霧の魔導士が再び印を切る。

大きな霧の腕が、ルーシィに向かって飛んできた。

「くっ……！」

捕らえようとする腕を逃れ、ルーシィは体勢を整える。

鍵束がなければ、ルーシィは魔法が使えない。

戦えないわけではないが、勝てるとは思えない。

（どうする、あたし……？）

手にした鞭《むち》を握りしめる。

霧の腕を霧散させることはできても、それではイタチごっこだ。

（本体を攻撃しないと……）

ジリと間合いを詰め、ルーシィは霧の魔導士に向き直る。

「まだやろうって言うのか？」

「いけないの？」

「勝ち目はないだろ。ここは俺のテリトリーだ」

「そんなの、分かんないじゃない！」

声をあげ、ルーシィは鞭を振り上げた。

意志を持ったように、鞭が魔導士に向かって伸びていく。

「バカか？」

余裕の笑みを浮かべ、霧の魔導士が印を切る。

「きゃあっ！」

横から現れた腕によって、痛いほど壁に押し付けられたルーシィは、圧迫されながらも鞭を振り回した。

濃霧と圧迫で、次第に呼吸ができなくなってくる。

「くっ……はぁ……」

視界が歪《ゆが》む。

霧の魔導士の姿さえも、見えなくなってくる。

伸縮自在の鞭も、操るルーシィが力をなくしては動くことすらできない。

「あんたなんか……あたし、ひとりで……」

かろうじて動く腕を振り、鞭を霧の魔導士へとしならせる。

しかし、その鞭が届くことはなく、何度あがいても同じことだった。

「これか」

足もとに落ちていた鍵の束を、霧の魔導士が拾い上げた。

しげしげと束を見て、感嘆のため息をついた。

「サジタリウス、アクエリアス、ジェミニ……へぇ、黄道十二門《おうどうじゆうにもん》が9体。すげーな、お嬢様は」

鍵束を弄ぶ姿を見て、ルーシィは必死に手を伸ばす。

「や、やめて……」

「俺が、こいつらを高く売ってやるよ。黄道十二門《おうどうじゅうにもん》は世界に1本ずつしかないって言うしな。安心して逝《い》きな」

鍵の束を指でクルクルと振り回し、霧の魔導士は口元に歪《ゆが》んだ笑みを浮かべた。

「おっと……」

鍵の束が指からすべり、地面にカチャリと落ちる。

「大事な商品が落ちちまったぜ」

鍵の束を足で蹴り上げ、空中でキャッチするのを見て、ルーシィの目に悔し涙が浮かぶ。

精いっぱいの力を込めて、ルーシィが声を荒らげる。

「ふっ、ふざけないで！　星霊は道具じゃない……！」

「はぁ？　道具じゃないなら、なんだよ。この道具がないから、おまえは戦えないんだろう？」

（道具なんかじゃない……いつも助けてもらってばっかだけど……）

唇を痛いほど嚙《か》み締める。

「仲間、よっ！　飾りでも、道具でもない。仲間だから、助けてもらうのよ……！」

「まだ言うか」

霧の魔導士が印を切ると、大きな手による押し潰しの力が強くなった。

（こんなやつに負ける……なんて……ごめん、みんな……）

「カ、カハッ……」

肺に残っていたわずかな空気も、吐血とともに吐き出される。

ヒュウッと嫌な音を立て、ルーシィの力が完全に抜けた。

「あひゃひゃ、逝ったか？」

腹を抱えて笑い出す霧の魔導士は、

「……ん？」

洞窟内の空気が震え出すのを感じ、顔を上げた。

「あ、なんだ？」

ルーシィの頭上に魔法陣が現れている。

「応援が来たわけじゃなさそうだし……」

と魔法陣に近寄ろうと、足を踏み出したとき。

魔法陣から、心地よい鐘の音が鳴った。

キンコーン

女神の福音にも似たその音とともに、魔法陣から水をまとった人魚が現れた。

大事そうに水瓶《みずがめ》を抱えた、その星霊は――

「アクエリアス、か？」

「てめーに、名前を呼ばれる覚えはない！」

霧の魔導士を睨《にら》み付けると、アクエリアスはギリと歯を鳴らした。

「あれ？　でも、鍵は俺が……いや、それより、なんで水がないのに、おまえが――」

「こんな小娘でも、一応所有者《オーナー》だからね。助けに来てやったんだよ！」

そう怒鳴ると、アクエリアスは、水瓶を霧の魔導士に向けて、力を込めた。

「これでも喰《く》らいなぁっ！」

水瓶からは勢いよく大波が現れ、周囲の霧は霧散し、霧の魔導士は為《な》す術《すべ》もなく、大波に呑《の》み込まれていく。

「ぐ、ぐあっ……た、たすけ……！」

洞窟内は一瞬で海と化し、霧の魔導士は大波に呑み込まれた。

霧の腕に押さえつけられていたルーシィは、かろうじて大波の衝撃を逃れている。

「ゴポゴポッ……！」

海水を大量に飲み込んだ霧の魔導士は、白目をむいていた。

「殺さないだけ、ありがたく思いな」

そう吐き捨て、大波を水瓶に戻すアクエリアス。

本体がのびてしまったことにより、ルーシィを押さえつけていた霧の腕が消えていく。

「世話のかかる小娘だ……」

アクエリアスは、空中をフワッと移動し、ルーシィを洞窟の脇に寄せた。

生気を失い、目を覚ます気配はない。

「ルーシィ……」

鋭い眼光のアクエリアスの目元が、うっすらと赤くなる。

静寂が戻ったかのように思えた洞窟内に、再び鐘の音が響きわたった。

「ルーシィ！」

突如として現れたのは、ライオンのたてがみのように髪をカッチリとセットした、スーツ姿の男。

色つきサングラスから見え隠れしている眼差《まなざ》しは、とても温かだった。

「ちっ……ロキか」

アクエリアスは慌てて、ルーシィから離れた。

「まさか！」

ロキと呼ばれた星霊は、浮かんでいるアクエリアスを見て、目を見開いた。

「君が出てくるとは……」

「霧ん中には水分が含まれてんの、知らないのか？　あ？」

「いや、知ってるけど……」

「その小娘には言うなよ」

ルーシィを一瞥《いちべつ》し、アクエリアスは空気に溶けこむようにして消えていく。

「さ、彼氏とデートだ。彼氏とな」

「ちょっと、アクエリアス！」

「言うなよ？　言ったら、ぶっ殺すからな！」

悪態をついたアクエリアスは、そのまま消えていった。

「……ふっ」

ロキは含み笑いをすると、ルーシィを優しく抱きかかえた。

（ルーシィに言っても、きっと信じてくれないだろうな……）

ロキがルーシィの肩を揺さぶった。

ルーシィが死んだとは思っていない。

所有者《オーナー》が死亡すると、星霊は解放されるのだ。

まだそれがないということは、ルーシィは生きているということである。

「そうはいっても、心配だな……」

ロキは、懸命にルーシィを呼び続けた。

「ルーシィ、大丈夫かい？」

冷たくなった体をさすり続けていると、徐々にルーシィの頬《ほお》に赤みが戻ってくる。

（よかった！　これなら、すぐに回復しそうだ！）

「……ぅん」

眉がピクッと動くと、ルーシィはゆっくりと目をひらいた。

倒れている霧の魔導士と、介抱してくれているロキ。

（いったい、なにがどうなって……）

気を失ってから今の状況までを整理したのか、ルーシィが安堵《あんど》の笑みを浮かべた。

（ロキが助けてくれたのね……）

ロキは元々、妖精の尻尾《フェアリーテイル》の魔導士だ。

自分の魔力で人間界に留《とど》まっていた経歴があるため、所有者《オーナー》であるルーシィが呼び出さなくても、ロキだけは勝手に星霊界から出てこられるのだ。

そうやって、何度もロキには助けてもらっている。

「ロキ、またあんた勝手に門《ゲート》を出て……」

「え、あ……いや」

（今回助けたのは、僕じゃないんだけどな……）

しかし、鬼のようなアクエリアスが出てこられたと言っても、ルーシィは信じないだろう。

それにアクエリアスの説教を思うと、正直に話すことはできなかった。

星霊界でも、アクエリアスの怖さは有名であり、知らないのは彼氏の天蠍宮《てんかつきゅう》のスコーピオンのみだ。

言うと後が怖い。

「助かったわ、ありがとう」

所有者に信頼の眼差《まなざ》しを向けられ、正直ぶっちゃけてしまいそうになるロキ。

が、

「いや……まぁ、そういうことにしとこうか」

と、ルーシィをお姫様抱っこする。

「ちょっと、自分で歩けるってば！」

「魔力がないのに、無理することないよ」

ロキは、王子様よろしく、ウインクをした。

「あんたって……ほんっと、キザ男！」

なんて言いつつも、ルーシィはロキの腕の中で目を閉じた。

（仲間ってより、家族よね……）

＊＊＊＊

「まさか、解決してくださるとは！　いやはや、足を向けて寝られませんな！」

老夫婦は、諸手《もろて》を挙げてルーシィを出迎えた。

村には、活気が戻っている。

「オレは、あいつが怪しいと思ってたんだよなぁ」

「やっぱり、よそ者を入れるのはよくないな」

「これを機に、大都市に流れた若いやつを呼び戻そうか」

「いやあ、ありがたい！　魔導士様々だな！」

村人が口々に話しているのを見て、ルーシィは気まずい笑みを浮かべるばかり。

（実は、あたしは倒れてました……とか言えないよねぇ）

褒め続ける村人の前で照れくさそうにしているルーシィに、村長が封筒を手渡した。

「ささ、これは報酬です。受け取ってくだされ」

封筒に入った10万J《ジュエル》を手に、ルーシィの顔に笑みが戻ってくる。

「あ、ありがとうございます」

「それと、これも――」

と差し出されたのは、手のひらサイズの鉱石だった。

「この鉱山でのみ採掘できる、珍しい鉱石です。追加報酬にぜひ！」

「でも、こんな高そうなもの……」

「これから、いくらだって採れるんじゃし、ぜひ受け取っていただきたい！」

押し問答を続けてもアレなので、ルーシィはありがたく受け取ることにした。

「ありがとうございます！」

そう言って、受け取った——淡くピンク色に輝く鉱石は、ほのかに温かく、微《かす》かに海のニオイがした。

scene 3 冴《さ》え渡る、蒼《あお》き氷の刃《やいば》

「ねぇねぇ」

ギルドの酒場でグダグダしていたルーシィに声がかかる。

「ん？」

ゆっくりと顔を上げ、声の主を探す。

目が覚めるような水色のショートヘアーを、いつも太いカチューシャでまとめているレビィが、にこやかにルーシィの横に立っていた。

「レビィちゃん」

「ルーちゃん、ヒマ？」

と、なつっこい笑みを浮かべている。

レビィは文字を操る魔導士で、読書家だ。

読んだ本の数は、数知れず。

ルーシィが小説を書いていることを知ったのをきっかけに、チームこそ組んでいないも

ののの、なにかと仲良くしてくれるのだ。

「特に予定はないけど……なにかあるの？」

ルーシィが首をかしげる。

今日はなんとなく気力が湧《わ》かず、日も暮れかけてきたので帰ろうと思っていた矢先——

「予定がないなら、うちに来ない？」

「うちって……レビィちゃん、寮でしょう？」

「うん！　どうかな？」

「寮って、門限とかないの？」

妖精の尻尾《フェアリーテイル》には、フェアリーヒルズという女子寮がある——ということを、ルーシィは最近になって知った。

空き部屋があり、寮に入ろうかとも考えたが、家賃がいかんせん高かったため、入寮を諦めたのだ。

ま、今の家が気に入っていることも理由だけれど。

ルーシィの質問がおかしかったのか、レビィがクスクスと笑う。

「え？　あたし、なんかおかしなこと言った？」

「だって……あははは っ」

「なになに？」

「いつ依頼を完遂できるか分からないのに、門限なんてあるわけないよー」

「あ、そっか。たしかに」

照れ笑いをして、ルーシィはレビィを見上げた。

「来る？」

再び聞かれ、ルーシィは大きく頷《うなず》いた。

「行く！」

「よかったー！　今日、これから女子会やるんだー」

「女子……会？」

聞きなれない言葉に、ルーシィの頭の中は？マークでいっぱいだ。

「そう。寮生で集まって、おしゃべりしよーって。なかなか、みんなで揃《そろ》う機会がないんだけど、今日は依頼も少なかったし、夜はみんな帰ってるみたいだから、集まろうって」

「へぇ……でも、そんなとこに、あたしが交ざっちゃっていいの？」

「いいから誘ったの。じゃあ、行こう！」

レビィがルーシィの腕を取る。

「あ、そうだ」

「ん？」

「まだ時間あるし、ルーちゃん、家からルームウェア持ってきたほうがいいかも！」

「私のを貸してもいいんだけど……ほら、その……ね」

レビィがふと目を伏せた。

頬《ほお》を赤らめ、チラッとルーシィを見る。

（な、なに？　その顔はっ！）

「レビィちゃん？」

「ほら、ルーちゃんの体型だと、私の服じゃ入らないし……窮屈な服着たら、リラックスできないし……」

「え……あっ！」

ルーシィは、改めて自分の体を見る。

あまり気にしたことはないけれど、レビィのそれと比べると、遥《はる》かに大きい。

「じゃあ、一回家に帰って取ってくるね！」

「うん、寮で待ってるから！」

ギルドを出て、ルーシィは急ぎ足で家へと戻る。

（女子会かぁ……）

なんだか楽しそうな響きである。

幼少期に厳格な家庭で育ったルーシィは、友だちの家でなにかするということがなかった。

　というか、友だちと呼べる人はいなかった。

　だから、こうやって誘われたことは、とても嬉《うれ》しい。

「あー、なに持って行こうかな……」

　家に着いたルーシィは、さっそくクローゼットの中を物色し始める。

「ルームウェアかぁ」

　かわいい部屋着を探そうと、部屋中、クローゼットから出された服が山積みになってい
く。

　あーでもない、こうでもないと呟《つぶや》き、やっと服を選び終わったのは、完全に日が暮れて
からだった。

「しまった！」

　外が暗くなっているのに気付き、ルーシィはあわてて家を飛びだした。

　レビィに言われた通り、ルームウェアは持ってきている。

「せっかく誘ってくれたのにー！」

　泣きそうになりながら、ルーシィはフェアリーヒルズを目指し、街の中を走り抜ける。

　女子寮のフェアリーヒルズは、妖精の尻尾《フェアリーテイル》のギルドのすぐそばにある。

　湖畔に建っているため、オーシャンビューが望める。食事も付いているし、規則もそれ

なりにあるものの、厳しい類《たぐい》ではない。

レンガ造りの寮は、小さなプチホテルのようだった。

「着いたー！」

小さな丘の上に建っているフェアリーヒルズから、微《かす》かに音楽が聞こえてくる。

その心地よい音色に、思わず目を閉じる。

「ルーシィ！　待ってたぞ！」

寮の最上階の窓から、エルザの声が聞こえた。

ふと顔を上げ、大きく手を振る。

「遅れてごめんねー！」

「いや、まだ始まっていない。今、そちらに降りる」

エルザはそう言うと、緋色《ひいろ》の長い髪を揺らし、窓の奥へと姿を消した。

一応、戸締まりはきちんとされているらしい。

ほどなくして、目の前の扉が開かれる。

意志の強そうな、大きな二重の瞳がルーシィを見つめる。

「ここに来るのは、2度目か？」

エルザに聞かれ、ルーシィは少し考えてから答えた。

「そう……かな」

「みんな、食堂に集まっている。案内したことはなかったな。こっちだ」

いつもは鎧姿《よろいすがた》のエルザも、今日ばかりはラフな格好をしている。

口調も行動も男勝りなのだが、黙っていれば美女のエルザは、フリルのついたミニワンピースを身につけていた。

どうやら、ミニやフリル、レースといったかわいいものが好きらしい。

「おじゃましまーす！」

元気よく食堂に入ると、寮生が一斉にルーシィを見た。

ルーシィを誘ってくれたレビィ、ジュビア、西の大陸からの移民だというビスカ、少女ウェンディにシャルル、そして——

「え！」

ルーシィは思わず声をあげた。

こういう集まりには、絶対出ないだろうと思われていたエバーグリーンまでもが、食堂に座っていたのだ。

エバーグリーンは、ギルドマスターであるマカロフの孫のラクサスを慕い、雷神衆というチームを組んでいる。

メガネの似合う、冷たい感じのする女性だ。

ツンツンしているが、実は情に厚い。

上から目線で女王様ふうだが、話してみると意外に優しかったりする。

「あら、あなたも来たの」

「レビィちゃんに誘われて……」

「ほら、ルーシィ、座れ」

そう言ったエルザは、腰に手をあて、食堂を見渡している。

「よし、これで全員だな」

「じゃあ、食事にしましょ！」

前髪をパッツンと揃《そろ》え、長い髪を下ろしたビスカが、キッチンからトレイに載った山盛りの食事を持ってきた。

「みんなの口に合うか分からないけど……私の出身地の郷土料理よ」

とテーブルに並べたのは、バーベキューチキンや、とうもろこしの粉で作ったトルティーヤだった。

「うわぁ……これ、全部ビスカが作ったの？」

席に座ったルーシィが、感嘆の声をあげた。

「ええ。作り方はアルザックに聞いたの」

そう答え、ビスカが頬《ほお》を赤らめた。

「あ、そっか。アルザックも同じ出身地だったよね」

「これ、おいしいですー」

ウェンディが、口いっぱいにトルティーヤを頬張《ほおば》っている。

屈託のない少女ウェンディを見て、シャルルがたしなめた。

「あんた、口の周りにいっぱいついてるわよ……」

と、お母さんのように世話を焼く。

見ていて、なんだか微笑《ほほえ》ましい。

「さ、ドンドン食べて！」

言われるがままに、ルーシィも食事を口に運ぶ。

ギルドで食事する以外、基本的におひとり様のルーシィは、みんなでワイワイと食事を取ることが新鮮だった。

どうしても、口元が緩んでしまう。

「ルーシィ、どうかしたか？　笑《わら》い茸《たけ》でも食べたのか？」

エルザが不思議そうに、ルーシィの顔を覗《のぞ》き込む。

「ううん。なんだか嬉《うれ》しいなーって」

「嬉しい……そうか。たしかに、みんなで取る食事はいいものだな」

言いながら、エルザは黙々と食事を口に運ぶ。

「エルザ……」

そんなエルザを見て、ルーシィはクスッと笑った。

不思議そうに、エルザが顔をむける。

「なんだ？」

「ついてる」

ナプキンを手に取り、エルザの口元をぬぐうルーシィ。

「む……すまないな」

（完璧っぽいのに、こういうとこはかわいいんだよね……エルザって。妙に天然っていうか――！）

ニヤニヤしているルーシィは、急にエルザに抱き寄せられる。

布越しの、ふにゃんとした感触。

ルーシィの顔が、エルザの胸に埋まっていく。

「ちょっ……いた――くはないか」

いつも鎧《よろい》のまま、ガツンと抱き寄せられるので、痛いというイメージがぬぐえない。

そんなルーシィの言葉を聞いて、レビィが吹き出した。

「ルーちゃん、こわがりすぎ」

「こわがってるように見える？」

「分かんなくないけどね。鎧でガツッて痛いもん」

「あ、レビィちゃんもされたこと、あるんだ⁉」

「まぁねー」

申し訳ないような複雑な表情を浮かべたエルザは、

「ほら、冷めないうちに食べてしまおう！」

＊　＊　＊　＊

「さ、こっちこっち！」

食事を終え、大浴場の更衣室で部屋着に着がえると、レビィがみんなを案内した。

そこは——ジュビアの部屋だった。

照れくさそうに、部屋の中へみんなを招き入れたジュビアは、お茶を淹《い》れてくると立ち上がる。

寮の部屋には、ミニキッチンが設置されているので、簡単なものなら自室で作ることができるのだ。

「私、ジュビアさんの部屋、初めて入りましたー」

ウェンディが目を輝かせて、部屋を見ている。

猫脚のテーブル、小さな本棚にはかわいい人形が飾ってある。

ソファーには、ハートのクッション。

これぞ女の子！　といった部屋だった。

「お姫様みたいー」

と、天蓋付きのベッドを羨ましそうに見つめている。

「ウェンディの部屋は、シンプルだもんね」

レビィの言葉に、ウェンディが肩をすくめた。

「だって、シャルルが嫌がるから……」

「あなたたち、一緒の部屋だったの⁉」

と、驚いたのはビスカだ。

「てっきり、隣同士の部屋を借りてるのかと思った」

「まだ仕事もそんなにこなせないし、一緒のほうがいいかなーって……化猫の宿《ケット・シェルター》のときも、一緒のおうちでしたし」

笑顔で答えるウェンディ――実は、前は化猫の宿《ケット・シェルター》という魔導士ギルドに所属していたのだ。

しかし、化猫の宿《ケット・シェルター》は、闇ギルドの六魔将軍《オラシオンセイス》との戦いをきっかけに、消滅してしまった。

その事件の中心にいた妖精の尻尾《フェアリーテイル》に誘われ、ウェンディとシャルルが移籍したという経緯がある。

「そうなんだ？」

　そう言って、ツンとすましているシャルルをビスカがつつく。

「実は、シャルルがウェンディから離れられなかったりしてぇ」

「心配なんだもの、この子」

　シャルルは、苦笑いしているウェンディを見上げた。

「目を離すとなにをするか、分かったもんじゃないわ」

　それを聞いたレビィが、まじまじと頷《うなず》く。

「たしかに、ウェンディって、ちょっと天然だよね」

「えー⁉　そうですか？」

「子どものときなんて、みんなそんなもんじゃない？」

　と言いはなったのは、エバーグリーンだ。

「エバーグリーンも来たの？」

「ええ。だって、妖精の尻尾《フェアリーテイル》の女子会――ぶっちゃけトークでしょ？　私こそが妖精だもの。参加しないわけないいわ」

「エバーグリーンの部屋って、どうなの？　ちょっと見てみたい気もする」

　レビィが想像に任せて、言葉を続ける。

「羽根がフワフワワーッてなってて、そこいらに植物が置いてあるとか」

「レビィちゃん、なんで植物？」

ルーシィがすかさずツッコむ。

「なんでって……」

レビィが自信マンマンに言葉を続ける。

「だって、植物には妖精が宿るって言われてるじゃない？　エバーグリーンなら、至るところに置いてそう」

「んなっ……」

図星なのか、エバーグリーンの顔が赤くなる。

「べ、別に、あなたたちに関係ないでしょ」

「あたりなんだー。いいじゃん、かわいくって。ね、ルーちゃんもそう思うでしょ？」

「う、うん」

と答えたものの、凛《りん》とした雰囲気のエバーグリーンに、羽根やら植物やらは似合わない気がする。

（ま、人それぞれだもんね）

「あの、あのっ」

ウェンディがピョンと跳ねる。

「みなさんのお部屋って、どんな感じなんですか？」

「私たちの？」

ビスカやレビィが、声を揃《そろ》えて聞き返す。

「好きな物ばっかり置いてるなぁ」

そう答えたレビィの部屋は、本だらけである。

扉がある壁を除いた3面には、天井まで届きそうな本棚が、すきまなくぴっちりと置かれ、そこに入りきらない本が床を埋めている。

読書家であり、文字を操る魔導士ならでは、といった感じだ。

「私もそうね。寝る場所も確保できてないわ」

「え！」

ウェンディが声をあげる。

「そ、そんなに好きな物ばかりなんですか？」

「ええ。みんなで、藁《わら》の中で眠るのが、一番落ち着くし」

「わ、藁？」

想像できないようで、ウェンディは頭を抱えている。

「動物が多いのよね、ビスカの部屋」

レビィの言葉に、ルーシィは一度だけ行ったことがあるビスカの部屋を思い出す。

西の大陸から来たビスカは、移住の際に様々な動物を連れてきたのだ。

馬や羊、象なんかもいて、その数は数十にのぼる。小さな動物園である。

本来はペット禁止らしいのだが、連れてきてしまった動物を手放させることもできず、エルザは大目に見ているらしい。

「多いってもんじゃないよね、実際……」

ルーシィの呟《つぶや》きが、ビスカの耳に届いたようだ。

「あれでも、少なくしたんですけどね」

「そ、そうなの⁉」

目を丸くするルーシィの後ろから、

「お茶です。どうぞ」

と、ジュビアがミニキッチンから出てきた。

「人数多いし、床に座っちゃおうよ」

「そうだな、人様の部屋でくつろぐのもアレだが……」

言いつつ、エルザはベッドに寝そべっている。

「くつろぎすぎー！」

「このフカフカのベッドいいな。どこで買ったんだ？」

「ハートクロイツ社製ですよ」

「なんだって！」

驚きのあまり、エルザがベッドの上に立ち上がった。

「ハートクロイツ社でベッドも販売してるのか……さっそく、買いに行かねば」

部屋から出ていこうとするエルザに、ビスカが首をかしげる。

「今からですか？」

「そうだ」

「やってないですよ、こんな時間に」

「売ってもらうんだ」

と、エルザは頑として譲らない。

幼い頃からエルザと寮が一緒だったレビィは、エルザのなだめ方を知っているようだ。

「エルザー、これからぶっちゃけトークなんだし、今日はジュビアのベッドでガマンしなよ」

「ジュビアの⁉」

レビィの言葉に、ジュビアは目を丸くしている。

「そうだな」

エルザは納得したようで、フカフカのベッドに再び寝転んだ。

ミニワンピがめくれ上がるのも気にせず、至福の笑みを浮かべ、布団に顔を押し付けている。

「エルザってさ、見かけによらず、かわいいもの好きだよねー」

「い、いいじゃないか！」

「ギャップ萌《も》えするよね」

レビィが口元に笑みを浮かべる。

「黙って動かなきゃ、エルザはモテると思うんだけどなぁ」

「それって人形じゃん！」

ルーシィの言葉に、ビスカが手を打つ。

「人形といえば、ほら！　ギルドの売店で売ってるフィギュア。エルザが人気だって、マックスが言ってたよ」

「あぁ。全関節が可動するとかいうやつ？　ヒマだよね、作ってるマックスって」

レビィが、ハートのクッションに顎をのせる。

「ああいうのって、誰が買うんだろう？　妖精の尻尾《フェアリーテイル》が、フィオーレで有名なのは分かるんだけどさ」

「レビィさんの……」

「ん？」

ウェンディが恥ずかしそうに、口をもごもごさせる。

「レビィさんのフィギュア、ジェットさんとドロイさんが持ってるの見ました……」

ついに言ってしまった！　というふうに、ウェンディの顔が赤くなる。

「あー……」

なんて言葉を返せばいいのか分からず、レビィが紅茶をすする。

そんなレビィを見て、ビスカがうらやましそうに口を開いた。

「愛されてますものね、レビィは」

「うーん……チーム内で、恋愛はイヤだなって思ってるんだけど……」

そう言って、照れくさそうに笑った。

「一緒に動いてると、そういう気持ちになるのかな……と、最近は諦めてる」

ため息まじりのレビィに、ジュビアが真顔で呟《つぶや》く。

「ガジルくんも、気にかけてると思います」

「えええええええ」

ジュビアの大胆発言に、レビィは、部屋が揺れるほどの大きな声をあげた。

「ないないないない……」

ブンブンと首を振るレビィの顔は、真っ赤だ。

「ほら、幽鬼の支配者《ファントムロード》の件で悪いと思ってるとか」

「それはあると思いますけど……なんて言うか、ガジルくんがレビィさんを見る目って、優しいというか……」

「えー……そうかなぁ……」

レビィはガジルを思い出しているのか、うーんとうなっている。

「ガジルくん、あー見えて一途《いちず》なんですよ」

「言われてみれば、優しいかもしれない……」

とビスカも乗り気で、ジュビアの話に入ってくる。

「んもうっ！」

自分の話題を避けたいのか、レビィがビスカに詰め寄った。

「そんなこと言ったら、ビスカはどうなるの？　ここに来る前から、アルザック一筋なんでしょ？」

「え、あ……そうなの？」

ルーシィが目を丸くさせる。

同郷だから、仲がいいわけではなかったのか。

ふとアルザックを思い浮かべる。

バサバサの長い髪を伸ばし、常にマントを羽織っている。

ギルド内でも、ナツやグレイのように騒ぐわけでもなく、妖精の尻尾《フェアリーテイル》のメンバーにしては控えめだ。

「そうだよ、ルーちゃん。エルザも気付いてるもんね？」

「お似合いの2人だと思うぞ」

布団にくるまってしまっているエルザは、簀巻《すま》き状態になりながらも真剣な眼差《まなざ》しで答える。

「だから、早く言えと言っているんだ」

「エルザさん！　だって、ほら……アルザック、私と2人になると目を合わせてくれないし……手が触れただけで、飛び退《ずさ》っちゃうし……女として、見てもらえてないんじゃないかと」

「逆でしょ、それ」

ソファーに女王様気取りで座っているエバーグリーンが、ビシッと指をさした。

「女として見てるから恥ずかしいのよ、あいつは」

「そ、そうなんですかねぇ」

まんざらでもなさそうに、ビスカは頬《ほお》を染める。

「でも、私から言うのってのも……なんだかなぁ」

「アルザック、奥手そうだもんねぇ……」

そう呟《つぶや》いたレビィが、パンッと手をたたく。

「別にいいじゃん、言っちゃえば。女の子から言っちゃダメってことはないんだしさ」

「だけど、断られたら――」

「ないない」

レビィが笑う。

「意外と、そのままゴールインしちゃったりして！」

「ゴゴ……ゴールイン……」

なぜか、ジュビアが顔を赤く染める。

「結婚したら、夜はやっぱり……」

と妄想に入ってしまった。

そんなジュビアを置き去りに、エルザがエバーグリーンを見やる。

「エバーグリーンは、どうなんだ？　レビィと同じように、チームに男2人もいるじゃないか」

意外とエルザは恋バナが好きなようだ。

話を振っては、楽しそうに目を輝かせている。

「あぁ……」

エバーグリーンが、フリードとビックスローを思い浮かべているが、

「ないわね」

と、きっぱりと斬り捨てた。

「じゃあ、ラクサスか？」

たたみかけるように問うエルザの言葉に、エバーグリーンの表情が一瞬、固まった。

(ももも、もしかして！ 図星！)

ラクサスはマカロフの実孫だったが、マグノリア全体を人質に取り、騒動を起こしたため、ギルドを破門させられた。

それでも、なお――ラクサスの親衛隊と呼ばれていた雷神衆のひとりであるエバーグリーンは、ラクサスの帰りを待っているのだ。

「……ないわ。私を、妖精として見てくれる男じゃなきゃ」

「ははっ」

引きつり笑いを浮かべているルーシィ。

傍若無人で唯我独尊な感じのするラクサスが、他人に――それも女の子に接するイメージはない。

「ラクサスって、冷たい感じがするんだけど……」

実際はどうなのだろう。

小さい頃から一緒にギルドにいたレビィやエルザなら、知っているような気がするのだけど。

「良くも悪くもガキ大将って感じ。恋バナは聞いたことないなぁ……エルザはある？」

「ないな。私はてっきり、あっちの方面なのかと……」

「あっちって！」

ルーシィが目を丸くする。

たしかに、雷神衆にはイケメンのフリードがいるが……まさか。

「ラクサスに限って……」

と言わざるを得ない。

「それはないわ！ 今は、そんなことより、自分のことで精いっぱいなのよ」

エバーグリーンが援護をする。

「ま、そうだよね」

破門中で、どこにいるかすら分からないラクサス……いつか反省して戻ってきてくれると思っているが、いつになるやら。

「ラクサスもそうだけど……もっと気になる子がいるんだよねぇ……」

そう言って、レビィがそっとにじり寄ってくる。

「ルーちゃんは？」

「え？ あたし？」

急に話を振られ、ルーシィはたじろいだ。

「あたしはいいよー。そういうの、よく分かんないし」

「えー？ 17年も生きてきて、ないの？」

ルーシィは、フィオーレでも有数の財閥、ハートフィリア家のひとり娘だ。

家出して、妖精の尻尾《フェアリーテイル》に入るまで、異性はおろか、同性の友だちさえもいなかった。

だから、恋愛なんて未知の世界なのだ。

「う、うん……」

「こんなにイイ体してるのにぃ」

レビィはそう言って、プニンとルーシィの胸をつつく。

たわわな胸にレビィの指が埋め込まれ、ルーシィの頬《ほお》がみるみるうちに赤くなる。

「ちょ、ちょっと！」

「少しくらい、いいじゃない。女同士なんだし」

そう言って、レビィは切なそうに自分の胸を見た。

「これから大きくはならないだろうなぁ……」

「形がキレイだから、いいじゃない」

ビスカがなぐさめる。

「レビィさん、大胆です……」

ウェンディの顔は真っ赤だ。

「ウェンディも大きくなったら、出るところ出るわよ。ねぇ？」

ビスカがルーシィに問いかける。

「エドラスって違う世界で、大人になったウェンディに会ったんでしょ？」

「あぁ……うん」

たしかにスタイルはよかった。

「そんなところ、見てないですよぅ」

恥ずかしそうに首を振るウェンディ。

エドラスのウェンディを思い浮かべているルーシィやウェンディを置いて、シャルルが口を挟む。

「大人じゃないわ、別人よ」

「そうなの？」

ビスカが首をかしげる。

「そうよ。エドラスのあんたとアルザックは、ラブラブだったし」

「そそそ、そうなの！」

ビスカの顔が真っ赤になる。

「ってことは、大人になっても、このまま……」

自分の胸を見つめるウェンディに、レビィがフォローを入れる。

「大丈夫よ。そういうのが趣味の人もいるし！」

「レビィちゃん……それ、フォローになってない……」

ツッコむルーシィの横で、ジュビアがボソッと呟《つぶや》いた。

「ジュビアも、エドラスに行きたかった……」

「へ？」

「だって、グレイ様がジュビアを好きでいてくれる世界なんですもの」

頰《ほお》を染め、ジュビアは再び妄想の世界へと旅立っていく。

「きっと、あんなことやこんなことを……」

「ちょ、ちょっ！　ジュビアの妄想、やめーい！」

ジュビアの妄想を止めようと、ルーシィはジュビアの肩をゆする。

「でも、実際、ナツは、ルーちゃんに好意があると思うけどなぁ」

「そ、そうなんですか？」

ウェンディが、ちょっぴり残念そうに聞き返す。

同じ滅竜魔法の使い手だからか、ウェンディはナツを慕っているらしい。

「だって、今までずーっとチームを組まなかったのにさ。ルーちゃんが来た途端だもん。きっと一目惚《ひとめぼ》れとか！」

「きゃー、いいですねぇ」

ビスカが自分のことのように、顔を熱くさせた。

「ないないないない……」

ナツとチームを組むことになった経緯を思い出す。

金髪《ブロンド》のメイドを募集していた公爵の家から本を持ち出す、という依頼に行くため、ナツは金髪であるルーシィを誘ったのだ。

（金髪だったら、誰でもよかったような気もしてるんだけど……）

ナツはルーシィだから、と言ったけれど、定かではない。

まぁ、ナツが嫌いなわけではないけれども。

「じゃあ、グレイ？」

レビィがキラキラした目で、ルーシィの顔を覗《のぞ》き込む。

「なんで同じチームから選ぶかなぁ……グレイもないよ」

「！」

グレイの名前が出た途端、床に座っていたジュビアがピクンと反応した。

「ジュビアは、グレイが好きだよねぇ……なんで？　クールだし、かっこいいとは思うけど、脱ぎ癖がねー」

「たしかに！」

一同が同意する中、ジュビアはひとり、自分の思いを口にする。

「だって、ジュビアの……」

「ん？」

「ジュビアの雨を、晴らしてくれた人だから……」

「魔力でかき消したってやつでしょ？」

と、事実を口にするエバーグリーンは、一瞬にして水浸しになった。

エバーグリーンの横で、ジュビアがわなわなと震えている。

「魔力じゃ、ありません……あ、あ、あ……」

「なによ」

濡《ぬ》れた髪をかき上げ、ジュビアを挑発するように問いかける。

「愛の……力……です」

「くだらないわね、部屋に戻るわ」

肩をすくめ、エバーグリーンが部屋から出ていく。

「ジュ、ジュビアは……」

頭に血が上ったとはいえ、さすがに悪いことをしたと思ったのか、ジュビアが声を震わせた。

「ま、気にすることないよ。エバーグリーンだって、悪いこと言ったなって思ったから、魔法発動させなかったわけだし」

もし、エバーグリーンが怒ったら、こんなのほほんとはしていられないだろう。

「………」

しょぼんとしているジュビアを見て、エルザが飛びおきた。

「そうだ！　ジュビアに渡すものがあったんだ！」

「へ？」

キョトンとするジュビアに、エルザが微笑《ほほえ》む。

「寮生にはひとりひとつ。ウェンディとシャルルには渡したんだが、ジュビアに渡す機会がなくてな」

「？」

「ちょっと待ってろ！　取ってくる」

そう言うと、エルザは布団を引きずったまま、部屋から出ていった。

「よほど、布団が気に入ったんだね……」

とエルザを見送っているルーシィに、レビィが更に質問を続ける。

「で、ロキは？」

「え？　まだその話？　だって、ロキって星霊じゃない。ないよ」

「星霊じゃなかったら、アリなんだ？」

ニヤニヤしているレビィは、ルーシィの返事を待っている。

「人だったら、もっとありえないよ。ああいう、チャラチャラしてる男の人って苦手なの」

「ルーちゃん、かたいなぁ」

「育ちがお嬢様だからかしら？」

ビスカが首をかしげる。

「そういうんじゃないと思うけど……誰だって、自分のことだけ見ててほしいじゃない」

「じゃあ、ロキが適任でしょ。危機に陥ると出てきて助けてくれるなんて、まさに王子様じゃない！」

「えー……」

ロキには悪いが、ルーシィは顔をしかめてしまう。

「でも、星霊と人間って結婚できたりするのかな？」

「え、ど……どうなんだろう。考えたこともないけど」

そう答えたルーシィの横で、ウェンディが首をかしげる。

「エルザさんは、どうなんでしょう？」

「エルザ？」

聞き返したレビィが考えこむ。

「そういや、エルザの話って聞かないよね」

「ギルド最強の女騎士ですものね」

ビスカの言葉で、エルザの話は終わりそうだった。

（でも……）

エルザとともに行動しているルーシィは、なんとなく気付いていた。

エルザの想《おも》い人は、ジェラールなんじゃないかと。

評議院に入り込み、黒歴史とされている過去最悪の黒魔導士ゼレフを生き返らせようとしたり、過去の遺物であるニルヴァーナという魔法兵器を再起動させたりと、悪事をはたらいてきたジェラール。

今は評議院の牢《ろう》に閉じこめられている。

きっと、もう……出ることは叶《かな》わない。

（エルザは曲がったことが嫌いだから、ジェラールをかばわなかったんだろうけど……）

きっと心の中にはいるはずだ。

ルーシィは恋をしたことはないけれど、きっとエルザのどこかには――

「またせたな！」

エルザの声とともに、勢いよく扉が開く。

「ジュビア、これだ！」

片手に持っているのは、宝石箱だった。

今は亡きフェアリーヒルズの寮母、ヒルダおばあちゃんが幽霊となって、リクエストボードに依頼を貼り付け、その依頼を完遂したときの報酬が、この宝石箱である。

完遂したのはルーシィだが、ヒルダおばあちゃんの想《おも》い——本物の宝石を、強がっていたエルザに——を尊重し、エルザに託したのだ。

「以前、ルーシィが寮母の依頼を完遂してくれてな。そのときの報酬なんだが……」

そう言って、エルザが宝石箱を開けた。

中には、キラキラと光る本物の宝石が詰まっている。

「わぁっ、キレイ！」

ジュビアの深海色の瞳が輝く。

「寮生に配ろうと決めたんだ」

エルザはジュビアと宝石を見比べると、おもむろに1粒のブルーダイヤがついたネックレスを取り出した。

「これがいいんじゃないか？」

「エルザ、分かってないなー」

レビィが身を乗り出し、宝石箱の中を吟味し始める。

「これは？」

と宝石を取ろうとするが、どうやっても取れない。

「あれ？　おかしいな」

「私が取ろう」

エルザが力まかせに、底にへばりついている宝石を取ろうとするも、やはり取れない。

「どういうことだ？」

首をかしげるエルザを見て、その場にいる全員が宝石箱を覗《のぞ》き込んだ。

どうやら魔法で封印されているようだ。

「じゃあ、これはそのままにしておいたら？」

ルーシィが口をひらく。

（きっとヒルダおばあちゃんが、訳あって、取れないようにしたのかもしれないし）

「形見として、埋めておけば。エルザが選んだ宝石、キレイだしさ」

「そうだな」

ルーシィの提案に、みんなが頷《うなず》いた。

箱に埋まった宝石は、いつまでも、寮生を温かく見守っていてくれることだろう。

scene 4 帰る場所は七色の虹

「今日もなかったなぁ……」

最近は自分に適している仕事がない。

ナツもハッピーも、仕事仕事！　と言わないので、こうしてグダグダしているのだ。

「そういうときもあるわよ」

と、ミラジェーンがなぐさめてくれるのだが、家賃の支払日がそろそろなので、困っているのも事実。

そんなとき。

「なぁ、ルーシィ」

ギルドの酒場でウトウトしていたルーシィに、声がかかる。

振り返ると、そこにはグレイの姿。

今日はまともに服を着ているので、一瞬、誰だか分からなかったが——たしかに、グレイである。

「なによ」

「今日、なんか予定あるか？」

「ない。ないから、こうして……」

そう言いながら、ルーシィはカウンターから顔を上げる。

リクエストボードを見ると、依頼はあるにはあるが——魔法教室の特別講師や呪われた物の魔法解除《ディスペル》など、自分ひとりではできないものばかりだ。

それに、今日は眠い。

昨日、深夜まで女子会でおしゃべりしていたせいだろう。

「はぁ……今月の家賃、マジでどうしよ」

呟《つぶや》いたルーシィは、何気なくグレイを見やる。

違和感。

（なんだろ……）

よく見ると、グレイはいつものラフな格好とは違い、正装していた。

黒いコートに、スーツ。

足もとのゴツいブーツがないだけで、全然雰囲気が違う。

「予定がないなら、ちょっといいか？」

改まって口をひらくグレイを前に、ルーシィの胸が高鳴った。

(待て、あたし！　昨日、レビィちゃんに言われたからって、ドキドキするとか、おかしいでしょ！)

つとめて冷静を装いながら、ルーシィは首をかしげた。

「いいけど、どこに？」

「これ……」

目の前に差し出された、それ——豪華クルージングのディナー、それもペアチケットだった。

「え……」

冷静だったはずなのに、ルーシィの頬《ほお》がみるみるうちに赤くなる。

「ななな、あ、あたし？」

ドギマギしているルーシィに、グレイが顔を近づける。

「頼むよ」

甘く囁《ささや》くような声に、ルーシィの頭の中はパニック寸前だった。

(チ、チーム内で恋愛とかって……やっぱ、その……あたしには……)

グレイの背後、遥《はる》か先でジュビアと目が合う。

鋭い視線が、痛い。

「で、でもっ……これ……」

「オレら、チームだろ?」

グレイが肩に手を回す。

「っ!」

男子に免疫のないルーシィ、しかもこんなシチュエーションでパニックにならないわけがない。

(待って待って! グレイって、なに……そういう気持ちだったの⁉)

心の準備ができていない。

いや、できていたとしても、グレイと付き合うなんてこと、考えられない。

「ちょ、ちょっと待って……」

目を白黒させているルーシィを見て、グレイがやっと、状況がヘンな方向に行っていることに気付く。

「おまえ、なに赤くなってんだ?」

「だだだだ、だって! ほら、グレイが……」

「は? 依頼だぜ」

「へ?」

ルーシィが目を丸くさせた。

よく見ると、ペアチケットの他にもう一枚、紙切れがある。

「ナツは船に乗れねえし、エルザは今朝からいないし。ま、ペアっつーくらいだから、ナツもエルザも、ごめんなんだけどな」

「あぁ……」

ようやく納得したルーシィは、ポンッと手をたたいた。

エルザは、早朝から買い物に行っている。

目的はひとつ。

ジュビアの部屋にあった、ハートクロイツ社製のベッドだ。

「もっと、ふわふわのふかふかにするよう、頼んでくる！」

と、意気込んで出かけたのを、見送ったのを思い出す。

「ジュ、ジュビアは？」

先ほどからずっとこちらを睨《にら》み付けているジュビアに気を遣い、ルーシィがグレイに提案してみる。

が、

「は？　なんでだよ。あいつはあいつで、リクエストボードから、依頼、持っていったぞ」

逆にグレイに不審を抱かせてしまった。

「そ、そうなんだ。じゃあ、行こうかな」

チケットを受け取り、視線を下ろす。

値段を見て、ルーシィはギョッとする。

「ちょ……50万J《ジュエル》って！　あたしの家賃の数ヵ月分じゃない！　桁、違うんじゃないの？」

「たまには、いいだろ。うまいもん食って、被害者が出ないように、見張るだけでいいんだとよ」

「な、なにそれ？」

グレイから依頼書をひったくる。

そこには――怪盗セボンの魔の手から、宝石たちを守ってほしい、と書かれていた。

「金持ちたちの宝石オークションが、怪盗セボンに狙われてるらしい」

「あ、それでこの値段……」

納得しかけたルーシィだが、やはり高い。

相当、豪華な料理が並ぶに違いない。

「報酬は半分。いいか？」

「全然いい！」

と答えたルーシィだったが、依頼書の報酬額を見て、めまいを起こしそうになる。

（一攫千金《いっかくせんきん》！　てか、一石二鳥？）

「行くわ！　着替えてくるっ！」

＊　＊　＊

「それなりの格好しなきゃいけないわよね……グレイだって、正装してるんだし」

と悩んだ末、ルーシィは、動きやすくシンプルなマーメイド形のロングドレスを選んだ。

持っている中では、一番高額なドレスでもある。

それでも、

「庶民にしか見えませんな」

と、依頼主に言われ、ハルジオンの港に停泊していた豪華クルーザーの一室で、お姫様よろしく、メイドに着替えさせられてしまっている。

「ま、ゆっくり着替えてろよ」

苦笑を押し殺したグレイはひとり、船内を見回ってくると言って、どこかに行ってしまった。

（高いドレスだったのに……庶民って……）

泣きたい気持ちをおさえ、ルーシィはガックリと肩を落とす。

ロマンスグレーの紳士に見える依頼主は、この船の持ち主でもあった。

宝石商をしているとかで、船内もきらびやかに飾られている。

目の前のドレッサーも、高価そうな装飾が施されており、今生きている世界とは違う世界に来てしまったような感覚におそわれた。

鏡に映る自分が、自分でないように見える。

心なしか、顔が強《こわ》ばっているのに気付き、ルーシィは無理矢理笑みを浮かべてみせた。

「魔導士様を、どこかでお見かけしたことがありますわ」

顔にシワが刻まれているメイドが、支度をしながら言葉を続ける。

「このようなお席にいらっしゃるのは、初めてですか？」

そう言われて、ルーシィは曖昧に微笑《ほほえ》む。

ルーシィの家——ハートフィリア家は、少し前まで、フィオーレ有数の財閥だった。

やり手で厳格な父に連れられ、何度かこういうパーティに出席したことがある。

ただ。

ルーシィは、父と——ハートフィリアという家柄から、決別してきた家出娘である。

そうそう、口に出せることではない。

「は、初めてです」

「そう……私の見間違いでしょうか。失礼いたしました」

そう言って、メイドは支度のスピードを早めていく。

鏡に映った自分——それは、昔の、人形のような扱いをされていた自分を彷彿《ほうふつ》とさせた。

幾重にも重ねられたレース、豪華できらびやかだけども重たいドレス、きつく締められたウエストでは食事さえも、そう入らない。

笑顔を浮かべるだけで精いっぱいだ。

「終わりましたかな?」

扉越しに声がかかる。

依頼主だ。

「はい、ご主人様。今、お開けいたします」

メイドはルーシィに頭を下げると、扉を丁寧に開いていく。

「おお! 見違えましたな!」

「お借りしてしまい、申し訳ありません」

静かに言うルーシィを見て、依頼主は笑みを浮かべるばかり。

「どこかでお見かけしたような……まぁ、いい。髪は、まだなのだな」

「言われた通りにいたしました」

メイドと依頼主の会話に、ルーシィは首をかしげる。

たしかに、こんなにも豪奢《ごうしゃ》なドレスにもかかわらず、髪はゴムでまとめているだけ。アンバランスだ。

「では、これを魔導士様に託したい」

そう言って、依頼主は大事そうに持っていた箱を開ける。

まばゆいばかりの光をまとった、純白のティアラだ。

「それは――」

「今宵の、オークションのメインジュエリー、〝海の涙〟と呼ばれる、この世にふたつとない真珠をあしらったティアラです。これを守っていただきたい」

ルーシィに答えると、依頼主はメイドにティアラを手渡した。

「え？　ど、どういうことですか？」

「狙われているのは、このティアラ、ただひとつ」

「守るって、身につけて……？」

思わずルーシィは立ち上がるが、

「魔導士様、お座りくださいまし」

メイドに言われ、再び、ドレッサーの前に座らされる。

「すぐにご準備しますので……」

髪がほどかれ、慣れた手つきでまとめあげていくメイドに、感嘆のため息が出てきてしまう。

髪がセットされていく様を見ながら、依頼主が口を開く。

「なぜ、ペアで依頼を出したか、ご理解いただけないようですな……」

「………」

髪に固定されていくティアラを見つめ、ルーシィがゆっくりと答えた。

（ペアで依頼する意味、か……）

「身につけた女性だけでは、なにかあったときに身動きが取れない」

「ご名答。怪盗を追い払う仕事は、男性にやっていただきたかったのです」

たしかに、このドレスじゃ俊敏な動きはおろか、走ることさえ無理だ。

「魔導士や傭兵《ようへい》を、船内に置くことは可能です。しかし、それではこのオークションの優雅な時間が台無しになる。お分かりですか？」

そう言われて、ルーシィはコクリと頷《うなず》いた。

あくまで、いつもと同じように、ゆっくりとした時間を過ごしたいのだろう。

「だから、あえて若夫婦に見えるよう、ペアでお願いしたのです」

「なるほど……でも、これひとつじゃ……バレるんじゃないですか？」

「オークションには偽物を出品します。まぁ、偽物であっても、本物の宝石をあしらっていますので、本物よりも豪華に見えると思いますよ。ご心配なく」

「……そうなんですね」

と答えたが、安心するわけにはいかない。

たとえ、偽物が豪華であったとしても、バレたら終わりである。

（気を引き締めて行かなきゃ！）

意気込んだルーシィの背後で、ゆっくりと扉が開く。

周囲に注意しながら、部屋に入ってきたグレイは、視線をルーシィに向けた途端、

「異状はない――って、なんだよ、それ！　あははははは！」

ルーシィの変わった姿を見て、お腹《なか》を抱えて爆笑する。

「まさに、お嬢様だな！　さすが、ハート――」

「うっさい！」

意気込みが、消えそうになる。

「なにはともあれ、依頼を完遂させるわよ！」

そう言ったルーシィの頭で、華奢《きゃしゃ》なティアラが音を立てて揺れた。

＊　＊　＊　＊

一番隅の席に座ったルーシィとグレイは、ゆったりとしたクラシックが流れる甲板で、

運ばれてくる料理に舌鼓を打っていた。

「ん？　食わねぇのか？」

なかなか食が進まないルーシィの、目の前のステーキを見て、グレイが首をかしげる。

「食べられる状況じゃないのよ！」

食前酒、前菜……で、すでにお腹《なか》がいっぱいだ。

どうにかスープを流し込んだが、もう無理。

（昔って、もっと食べられたと思ったんだけど……）

太った？　と思わざるを得ない。

それとも、締めつけがきつすぎるのか。

コルセットを緩めようと、もぞもぞと体を動かしてみるけれど、無駄に終わった。

「お嬢様ってのは、大変だねぇ」

「誰が！」

ルーシィが声を荒らげた瞬間、甲板のライトが一瞬消えた。

（な、なに!?）

あわてて、ルーシィは頭に手をやる。

ティアラは健在だ。

「ライトを――」

と言いかけた途端、すぐにライトがつく。

スポットライトが、前のほうに設置されたステージに当てられた。

マイクを持って話すのは、依頼主だ。

「レディースアンドジェントルメン！　今宵のディナー、お楽しみいただけましたかな？　まだまだ食事は続きますが、今宵のメイン！　オークションを開催したいと思います」

それを聞いた、数百はいると思われる客たちから、拍手喝采があがる。

「お財布の紐《ひも》も、お腹のコルセットも緩め、大いに楽しんでいただければ幸いです。それでは——」

黒服のマッチョな男たちが、依頼主に重厚な箱を運んでいく。

「おい、ルーシィ……あれ」

「ん？」

つまんなさそうにステージを見ていたルーシィは、グレイが指さすほうを見る。

「SPでしょ。それがなに？」

「傭兵《ようへい》ギルド〝南の狼《おおかみ》〟のやつだ」

一度、対峙《たいじ》したことがある。

あのときは、悪いことをしているほうについていたけれど、今回はまともな仕事をしているようだった。

「傭兵《ようへい》ギルドって、SPもやってるのね……」

妖精の尻尾《フェアリーテイル》にも、SPの依頼は来る。

ルーシィはやったことがないけれど、報酬はかなりイイらしい。

ま、ずっと気を張ってなきゃいけないので、高額なのも頷《うなず》けるのだが。

「気にくわねぇな……」

グレイが舌打ちをする。

「オレたちだけじゃ、まるで力不足と言わんばかりじゃねーか」

「そんなもんよ」

サラッと答えたルーシィに、グレイが顔をしかめる。

「おい！　てめぇ、自分のギルドを――」

「そうじゃなくって」

詰め寄るグレイを制止し、ルーシィはステージを見る。

「宝石や重要書類にでも、SPを雇うのは当たり前ってこと」

「あ、なるほど……」

納得したグレイは、冷めた手つきでなんとなく食事を続けているルーシィを見た。

「なに？」

グレイの視線を感じ、ルーシィは首をかしげる。

「いや、なんつーか……」

「なによ」

服装がいつもと違うせいか、ルーシィが本物のお嬢様に見えてくる。

一度、ナツやエルザとともに、ルーシィの実家を見たグレイは、今のルーシィが、なんとなく違う世界の住人のように感じてしまっていた。

「……おまえってさ」

「ん？」

カチャとフォークを止め、ルーシィの茶色がかった黒い瞳が、まっすぐグレイを見つめる。

グレイの頬《ほお》が、じんわりと熱を帯びる。

無言の時間が、なんだか妙に照れくさい。

「グレイらしくないわね、ちゃんと言ってよ」

「いや、誘ってよかったよ」

「なによ、それ」

顔をほころばせるルーシィは、言葉を続ける。

「ロキみたいなこと言わないで」

「なっ！　そこまでチャラく言ってねぇよ！」

小声で言い合うルーシィとグレイの背後——柱の裏で、人影が揺らめく。

しかし、2人とも気付かない。

せわしなく、テーブルの間を行き交っているウェイターとは違うようだ。

睨《にら》み付けるような視線で、ルーシィを見つめている。

それ以外は——実に平和に、オークションは進んでいた。

感覚が麻痺《まひ》してしまいそうな、高額な値段が飛び交い、商品が落札者へと運ばれていく。

「にしても……なんだって、オークション狙いなんだろうな」

「え？」

グレイの言葉に、ルーシィが怪訝《けげん》そうな表情を浮かべる。

「船上から逃げるって、相当面倒じゃねぇか」

「ま、たしかに」

「よほど自信があんのか、それとも……」

「なに？」

不安そうな表情を浮かべるグレイに、ルーシィが身を乗り出す。

「見当がついてるの？」

「魔導士なんじゃねーかな、怪盗なんちゃら」

「セボン、ね。でも……そんなことしたら、評議院に――」

「前に、ナツがここ、ハルジオンの港でやらかしただろ。巨人の鼻《タイタンノーズ》を破門されたボラ。覚えてないか？」

忘れるはずもない。

ルーシィが妖精の尻尾《フェアリーテイル》に入る、きっかけの事件だ。

「女の子たちを魅了《チャーム》して、他国に奴隷として売るっていう……」

「そうだ。魔法を悪事に使う――それも、みみっちいことに使うやつはいる。そういう部類なんじゃねーかな」

「…………」

言われてみれば、そうかもしれない。

見つからずに盗み出し、逃げることなんて、普通の人間には、できない芸当ではある。

「ま、なんかあったら、狼《おおかみ》なんかよりも先に動くけどな！」

と息巻くグレイの耳に、依頼主の声が聞こえてくる。

「では、本日最終――メインとなります、この世にふたつとない真珠、海の涙で作ったティアラです！」

それを聞いたルーシィが、緊張の面持ちを浮かべた。

（怪盗……どこから出てくるつもり！）

周囲をキョロキョロと見回す。
歩いているのは、ウェイターのみ。
(変装してる……とか？)
ミステリーものでは、よくある話だ。
怪盗が出てくる物語は読んでいるから、手口だってなんとなくは分かっている。
変装を駆使し、華麗に盗み出す。
それが怪盗だ。
(でも、本物のティアラは、あたしの頭の上にあるわけだし……)
そっと手を伸ばした瞬間、背後から、ルーシィの肩に優しく手が置かれた。
(だ、誰……？)
おそるおそる振り返る。
「ジュビア⁉」
「きれいなティアラですね、ルーシィさん」
声が妙に鼻にかかっている。
風邪でもひいたのだろうか。
いや、それにしても。
ここにいるのはヘンだ。

「え、あ……うん。ありがと」

（なんで？）

いつもなら絶対、グレイといるところを見たら、ブツブツと文句を言ってくるのに。

嫉妬深いのが、ジュビアではなかったのか。

このシチュエーション――どこから見ても、お金持ちの若夫婦にしか見えないのに、なにも言ってこないのはおかしい。

怒りのバロメーターが振り切れてしまったのか。

「ちょっと、見せてもらってもいいですか？」

ジュビアはそう言うと、ルーシィのティアラに手を伸ばす。

「ちょっ……だめよ！」

制止しようとした手が、痛いほどねじり上げられる。

「いたたたたっ！　ジュビア、痛いっ！」

顔をしかめるルーシィの横で、グレイが勢いよく立ち上がる。

「てめえ、なにしてんだよ！」

そう言って、ルーシィの腕を掴《つか》み上げていた手を、ひねり上げた。

「くっ……！」

眉間にシワを寄せるジュビア。

（あれ……）

楽になった腕をさすり、ルーシィはジュビアを見上げた。

外巻きにした髪はそのままに、ドレスアップをしているものの、いつもと違う。

グレイに触れられたら、顔を真っ赤にして恥じらうのがジュビアだ。

それが、今はどうだろう。

対峙《たいじ》し、今にも額が触れそうなほど、互いに睨《にら》み合っている。

「おかしいな。君たちの、仲間のはずなんだけど」

ジュビアとは、似ても似つかない優男ふうの声。

「誰なの！」

イスを蹴倒し、ルーシィが立ち上がった。

本能的になのだろうか、グレイがルーシィを背にかばう。

「おまえ、ジュビアじゃねえな」

「ちょっと、グレイ！」

思わず、ルーシィがツッコミを入れてしまう。

それもそうだろう。

いつの間にか、グレイの肌は、海風に晒《さら》されていたのだから。

いつの間にか脱いでいる、それがグレイだ。

「君、下品だなぁ……」

裸のグレイから腕をふりほどき、ジュビアがニタニタと笑う。

「ジュビア、どうした──」

言いかけて、ルーシィは口をつぐんだ。

遥《はる》か先、柱の陰でジュビアが体を震わせて、こちらを睨み付けている。

「え？　えっ⁉」

2人のジュビアを前に、ルーシィが目を白黒させた。

「ジュビアが……2人？」

「君たちのことを見て、なにやら言っていたからね……仲間だと思ったんだが、違うのか」

チッと舌打ちすると、目の前のジュビアが──ジュビアだと思っていた人が、一瞬にして、姿を変える。

整った顔立ちに、真っ黒なマント。長めの髪が、きれいにシルクハットの中におさまっている。どこから見ても、怪盗だ。本人も意識してやっているのだろう。

「変身魔法……！」

ミラジェーンが得意とする魔法だ。

人や──上級者になると動物に変身することができるのだけど、声まで変えられなかったということは、この魔導士——それほどの実力者ではない。

「ルーシィ、油断すんなよ」

(そ、そうだっ！)

変身魔法は、多少の魔力があれば誰だって習得できる。

便利であるが故、サブの魔法として使っている魔導士も少なくない。

(ということは、こいつっ！)

すばやく身がまえたつもりだったが、重いドレスが邪魔をして、もっさりとしか動けない。

当然、星霊を呼び出す鍵を取り出すことも、構えることもできない。

「君のティアラが、本物なんじゃないのか？」

セボンが、ルーシィの頭に輝くティアラを見すえた。

「偽物をオークションに出し、本物はSPに守らせる……金持ちが考えそうなことだ」

「だったら、なんだって言うのよ！」

ルーシィは、グッと身がまえる。

「あんたが何者か知らないけど、依頼は遂行するわ！」

「……ふーん、妖精の尻尾《フェアリーテイル》か。正規ギルドは威勢いいね」

見下したような言い方にカチンと来る。

が、ドレスのままじゃ戦うことはおろか、動くこともままならない。

「グダグダ言ってねぇで、お縄につくんだな」

グレイが両手を重ね合わせる。

その手の間から、青白く輝く光が放たれた。

「そっちの彼は、造形魔導士か……」

余裕の笑みを浮かべたセボンは、言葉を続ける。

「ボラの収入源がなくなったからね。この僕、セボンが捕まるわけにはいかないのさ」

そう言って、セボンは、混乱し始めている客席の間を駆けていく。

「ま、待ちなさいっ！」

（ああんっ、もう！）

もぞもぞと、太ももにつけた鍵のホルダーに手を伸ばそうとしても、幾重にも重なったレースが邪魔で届きそうもない。

「グレイ、やっちゃって！」

「言われなくても！」

客席から悲鳴があがり、皆が戸惑い、右往左往している中――グレイが、セボンを追う。

セボンは、駆け抜けながら、客たちが持っていた宝石を盗んでいく。

あまりに無駄のない、素早い動きに目が追いつかない。

ひとつ、またひとつと、宝石はセボンの懐の中に入っていく。

「この、くそがっ！」

散らばった食器やパニックで騒ぐ客たちが邪魔で、セボンを捕まえることができない。

「アイスメイク……」

グレイはセボンを視界に捉えながら、両手で印を切った。

「矢《アロー》！」

大きな氷の弓が現れ、グレイがすぐさま、それを打った。

頬《ほお》を切ってしまいそうな、冷たい風をまとった矢が、セボンに向かって飛んでいく。

「ばかめ……！」

余裕の笑みを浮かべたセボンが、振り返った。

手のひらには、巨人の鼻《タイタンノーズ》の紋章が描かれている。

「魔法反射《リフレクター》！」

セボンが、空に向かって手を掲げ、大きな声をあげる。

と、セボンを守るようにして、膜のようなものがセボンの頭上を囲んだ。

「なにっ⁉」

矢は膜を貫通することができず——逆に跳ね返され、客たちの頭上に降りそそぐ。

（まずい！）

このまま見過ごしては、誰かがケガをしてしまう。

「くっ……」

ルーシィは、渾身《こんしん》の力でドレスを引き裂いていく。

（間に合え、間に合えっ！）

やぶれたドレスの合間から、鍵の束が見えた。

が、幾重にも重なる布地が邪魔で、手が届かない。

くわえて、シルクでできた手袋のせいで、鍵のひっかかりもスルッと滑ってしまう。

（間に合わないっ！）

ルーシィが、ギュッと目を瞑《つぶ》った瞬間、

「水流防御《ウォーターバリア》！」

ザザーッと心地よい水の音とともに、客たちの頭上を覆うように水の天井が現れた。

（まさか！）

振り返ったルーシィの視線の先には、柱の陰から出てきたジュビアの姿。

まっすぐな瞳で水を操り、グレイの矢を受け止めていく。

「きゃあっ！」

「な、なんだ、いったい！」

突如、魔導士たちの戦場と化した甲板で、客たちが残っている宝石を手に、逃げ出し始める。

「みなさん、落ち着いて！　そんなに慌てたら、ケガしちゃう！」

悲痛なルーシィの叫び声は、無情にも、悲鳴にかき消されてしまう。

「あなたは、こちらへ！」

青ざめた依頼主が、ルーシィの腕をひく。

「あちらの魔導士様に任せて、こちらへ！」

「で、でも……」

「依頼は、それを守ることです。違いますかな？」

（そ、そうだった……）

手を引かれながら、ルーシィはグレイを振り返る。

（魔法を反射するって……いったい、どうやって戦うつもりなの？　攻撃が当たらないんじゃ、どうにもならないのに……）

セボンと対峙《たいじ》するグレイの背中を見つめる。

（グレイ……）

ルーシィの心配をよそに、グレイはセボンをステージ上まで追いつめていた。

しかし、セボンは、勝ち誇ったような表情を浮かべるだけ。

捕まる、という焦りはないらしい。

「その程度で、僕を捕まえるつもりか？」

「あん？　その程度だと？」

「そうさ」

小馬鹿にしたように笑って、セボンがさもおもしろそうに笑った。

「君の攻撃は効かない。その中で、どうやって僕を捕まえるというのか……」

「やってみなきゃ、分かんないだろうが！」

グレイが吼《ほ》えると、両手で造形魔法を唱えていく。

「氷雪砲《アイスキャノン》！」

一瞬にして、氷でできた大きなキャノン砲を作り出すと、迷うことなく、セボンに向かって撃った。

「ぶちやぶってやんよ！」

「バカな男だ」

セボンは再び、飛んでくるキャノン砲に手を掲げた。

「魔法反射《リフレクター》！」

続けざまに何発か撃ったが、その全てが反射され――

「きゃあああああっ！」

跳ね返されたキャノン砲が、ルーシィに向かって飛んでくる。

「うわっ！」

依頼主を守るためにも、ここで動けずに立ち止まるわけにはいかない。

そうはいっても、もっさりとした重たい動きでは星霊を呼び出すこともできない。

「あああっ！」

依頼主をかばうようにして、身を挺《てい》したルーシィに、氷の弾が次々と当たる。

（こ、この……ドレスさえ、なければ……）

地面に転がったルーシィの横を、ジュビアがステージに向かって、足早に駆け抜けていく。

「グレイ様は、私が守るっ！」

「ちょっ……ジュビア！」

何人かかっても、同じ結果になってしまうだろう。

攻撃は最大の防御とも言うけれど、魔法反射《リフレクター》は話が別だ。

攻撃を上回る、最強の防御である。

「グ、グレイ様……」

客たちが逃げてしまった、ガランとした甲板で、ジュビアがグレイの横に並ぶ。

「おおお、お手伝い……します……」

「あん？」

「あの……」

ジュビアはもじもじと恥ずかしそうに、それでも、グレイの耳元でなにかを囁《ささや》いた。

「たしかに、そうかもな……やってみるか！」

「はいっ！」

どうやら、2人の中で攻撃態勢が決まったようだ。

（ああん、あたしもっ！）

なんとか起き上がり、落ちていたフォークでドレスを破いていく。

（動けないと、どうしようもないわ！）

ビリビリと破っているルーシィを置いて、ジュビアが身がまえた。

「水流拘束《ウォーターロック》！」

ジュビアが、セボンの足もとを狙って、大きな水の球を放つ。

捕らえられたら最後、術者の意志がなければ逃れることはできず、水球に呑《の》み込まれてしまう魔法だ。

「何度も、同じことを……！」

セボンが足もとに反射を唱えた瞬間、

「アイスメイク……鎖《チェーン》！」

　氷の鎖が、セボンの体に向かって飛んでいく。

「なっ！」

　気付いたときには、すでに遅い。

　グレイの、切れることない凍り付く鎖がセボンの体に巻きついた。

　身動きがとれず、セボンが身を捩《よじ》る。

　ギシギシと音を立てるだけで、解けそうにないのだが。

「く、くそっ……」

「妖精の尻尾《フェアリーテイル》を敵に回すと、こうなるんだよ」

　グレイがセボンを見下ろす。

「今まで、何回やってきたか知らねえが……評議院で全部吐くんだな」

「てめぇ……覚えてろよ！」

　どんなに口汚く罵《ののし》っても、鎖からは逃れられない。

　そんな中、やっとドレスを引き裂いたルーシィがやってくる。

「え、はやっ！」

　下着姿に近いルーシィを見て、ジュビアが顔をしかめた。

「ルーシィさん……卑猥《ひわい》です……まさか、グレイ様に――」

「んなわけないでしょ！　動くためには、こうするしかなかったのよ！」

ジュビアに釈明し、ルーシィはグレイに向き直る。

「魔法反射《リフレクター》をどうやって――」

「あ？　こいつの反射は、一方向にしか発動しない。ジュビアがそれに気付いたから、足と体、両方同時に攻撃したってわけだ」

「なるほど……」

ルーシィが感心していると、ジュビアがニンマリとした表情を浮かべて近寄ってくる。

「あなたではなく、私がグレイ様と依頼を完遂したんです！」

「わ、分かってるわよ……」

今回は、いいとこなしだ。

言われなくても分かっている。

「で、なんで、ここにいるわけ？」

ジュビアには、他の依頼があったはず。

「え？　あ、その……2人っきりでって怪しいと思って……依頼は、その……」

急に伏し目がちになったジュビアに、ルーシィが顔をしかめる。

「まさか、ほったらかしにしちゃったの⁉」

「だ、だって……」

「バカか！　今すぐ、やってこい！」

グレイが怒鳴る。

「妖精の尻尾《フェアリーテイル》の評判が落ちるだろうが！」

「は、はいっ！」

反論することもなく、ジュビアは駆け足で甲板の縁《へり》に立つ。

「え？」

目を見ひらくルーシィの目の前で、ジュビアが海に飛び込んだ。

「ちょ、ちょっと！」

駆け寄って、海を見下ろすと——ジュビアは全身を水流にして、港へと戻っていくのが見えた。

（あ、そっか……全身、水なんだっけ……）

安心したのも、つかの間。

グレイとルーシィは、拍手喝采に包まれた。

「魔導士様、ありがとうございます！」

「まさか、追い返すだけでなく、捕まえてもらえるとは！」

「嬉《うれ》しいわ！　これで、安心してオークションができますわ！」

感動している小太りの婦人が、着衣を乱し、まるで戦ったように見えるルーシィに、手のひらサイズの宝石を押し付ける。

「これ、受け取ってちょうだい」

「え？」

どう見ても、今回の報酬で買えるか買えないかギリギリの、高額な宝石だ。

研磨し、整えれば、もしかしたら報酬よりも高値になるかもしれない。

「え、でも……」

（あたし、なにもしてないし……）

セボンを締め上げているグレイを、チラリと見上げる。

今回活躍したのはグレイだ。

この宝石を受け取るのに、ふさわしいのもグレイである。

「彼に渡してもらえますか？　捕まえたのは彼ですし」

＊　＊　＊　＊

「いい仕事だったたな」

帰りの汽車の中で、グレイが満面の笑みを浮かべる。

それに対して、ルーシィはふくれっつらだ。

「ご愁傷様だな、ルーシィ。やっぱ、これいるか？」

そう言って、蒼《あお》く輝く宝石をカバンから取りだそうとする。

「いい」

手で制止し、ルーシィは大きなため息をついた。

報酬はグレイと半分にしても、当分生活には困らない額だった。

が、ルーシィは、借り物のドレスを破ってしまったのだ。

当然、弁償となる。

その額がまた……とてつもなく高く、結局、報酬のほとんどが弁償で飛んでしまった。

ティアラは守れたものの、役に立った感じがしない。

だから、かたくなにグレイの厚意を拒んでいる。

「いらないなら、しょうがない。家にでも、飾っとくか」

そう言って、太陽に掲げた蒼い宝石は光を浴びて、うっすらとまたたいたように見えた。

scene 5 全てを包む緋色の光

「ルーシィ、行くぞ」

「ごほっ……！」

朝食をギルドの酒場で食べていたルーシィに、突然、頭上から声がかかる。

「な、なによ、急に」

咳《せ》き込み、目の縁を赤くしたルーシィが振り返る。

そこには、仁王立ちで立っているエルザがいた。

「あ。おはよう、エルザ」

「ついてきてくれ」

挨拶もなしに、エルザはルーシィの襟首を摑《つか》むと、動物の赤ちゃんのように、そのまま連れていく。

「ちょ、ちょっと！　まだ食べてないー！」

ルーシィの悲しい叫びが酒場にこだまするが、誰も助けようとはしない。

ギルド最強の女のエルザに刃向かう者はいないし、またいつものことだと思っている者も少なくない。

「いってらっしゃーい」

酒場を切り盛りしているミラジェーンが、笑顔でルーシィに手を振った。

「ミラさん、そりゃないですよぉぉぉ……」

連れ去られるルーシィの横を、ナツが通りすぎる。

「ナツ！」

「お、ルーシィは今日、エルザと仕事行くのか？」

「ちっがう！　なんか、急に……」

「仕事なら、オレも——」

と言ったナツは、外に出た途端、顔色が変わった。

「オレはいいや」

そう言って、そそくさと酒場の中に入っていってしまう。

「なんでよぉぉぉ」

「乗るんだ」

ギルドの前に横付けにしてあった魔導四輪の後部座席に、ドサッと放り込まれた。

「魔導四輪？」

慣れた手つきでSEプラグを腕につけると、ギュギュッとタイヤを鳴らし、発進する。

「エ、エルザ……どこ行くの？」

「ハートクロイツ社だ」

「は？」

ルーシィは、ポカンと口を開けてしまう。

(ショッピングに誘われた……ってこと？)

「エルザ？」

ルーシィは、エルザの背中に言葉を続ける。

「あの、あたし……」

「なんだ？」

猛スピードで町中を駆け抜けるエルザは、まっすぐ前を見たまま。

「あたし、買い物するほど、お金持ってきてないよ？」

「今日は買い物じゃない。注文をするんだ」

「注文……？」

聞き返して、ルーシィは納得した。

エルザが所持している100を超える武具の全ては、ハートクロイツ社製である。

本来、ハートクロイツ社は服飾専門だ。

最近は、インテリアにも手を広げているようだが、武具は専門外。

しかし、エルザの強い要望によって、特注で作ってもらっていると聞いたことがある。

「でも、なんであたしも……？」

不思議そうに首をかしげるルーシィをチラッと見ると、エルザは照れくさそうに口を開く。

「ルーシィの服は、いつもハートクロイツだろう？　だから、ルーシィの武器である鞭《むち》も注文したらいい。ついでにベッドもな。私も全て、ハートクロイツで揃《そろ》えている」

「…………」

絶句するルーシィに気付かず、エルザは言葉を続ける。

「やつらは職人だ。言えば、なんだって作ってくれるぞ？」

（言えばって……ふつうは聞いてくれないよね。エルザの強い要望って、無理強いしてるってことなんじゃ……）

不安そうな顔をしたルーシィに気付かず、エルザは言葉を続ける。

「一撃必殺のイバラの鞭なんか、どうだろう？」

と、嬉《うれ》しそうに言うエルザに、ルーシィは愛想笑いを浮かべる。

「鉄線の鞭なんかもいいな」

「ちょっと……あたしは、エルザみたいに換装できるわけじゃないから、一本あれば充分だよ」

「そ、そうか。じゃあ、イバラかな……武器は使えば摩耗するからな。サブの武器を持つことも大事だぞ」

と、自分の武器を作るように考えこむエルザの背中を見て、ルーシィは腰に下げている自身の武器を見つめた。

「どうした？」

反応がなくなったルーシィに気付いたのか、エルザが視線をこちらに向けた。

「あ、あたしはいいや」

「遠慮することはなかろう」

「この鞭《むち》……」

そう言って、ルーシィは腰に下げている鞭に、そっと触れた。

「星の大河《エトワールフルーグ》は、バルゴからもらったの」

「ほう？」

「ほら……あたし、星霊を呼び続けると、すぐに魔力が切れちゃうからさ。星霊たちが心配してくれたみたいで、プレゼントされたものなの。だから……鞭を替《か》える気はないっていうか……」

「そうか……」

落胆しているエルザを気遣い、ルーシィは慌てて言葉を続けた。

「ほら、星霊魔導士はそんなに武器使わないから、摩耗することもないし……誘ってくれてありがとね、エルザ」

「いや。じゃあ、降ろすか」

「え！」

魔導四輪は、すでにマグノリアの町を出ている。

ここで降ろされたのでは、歩くしか帰る手だてがない。

「つ、付き合うよ。ハートクロイツ社、見てみたいし」

これは本音だ。

本社に入れるなんて、滅多にないことだ。

「そうか。分かった」

そう答えて、エルザは若干落ちたスピードを元に戻す。

グンッと背中を引っ張られるような感覚に、ルーシィは座席にしがみついた。

「ねぇ、エルザ！」

「なんだ？」

「なにを注文するの？　壊れた武具の修復とか？」

「いや」

「じゃあ、なに？」

一瞬、答えに詰まった後――エルザは口を開いた。

「剣だ」

＊　＊　＊　＊

緑豊かな自然を背に建っている、ハートクロイツ社の前で、魔導四輪がキュッと音を立て、止まった。

入り口を警備している傭兵《ようへい》が、魔導四輪から降りてくるエルザを見て、ビシィッと立っているのを見て、ルーシィはなんだか気の毒に思えてきた。

（エルザが注文するのを見てみたいけど、なんだか怖くなってきたなぁ……）

「いつもごくろう」

と傭兵に手を挙げ、颯爽《さっそう》と中に入っていくエルザを見て、ルーシィは慌てて後についていく。

（にしても……）

エントランスロビーは、これぞ！　というほど豪華だった。

噴水を中央に、くつろげるベンチが置かれ、至るところにディスプレイされたマネキンには、ハートクロイツの最新作が着せられている。

「あ、あれかわいいー！」

と駆け寄るルーシィの背後で、声がかかる。

「行くぞ」

アポなしで来たにもかかわらず、エルザがエントランスロビーに姿を現した途端――奥の大階段から、キッチリとスーツを着こなした男性が慌てて走ってくる。

「エルザさん。今日は、どんなご用でしょうか？　ベッドに不都合があったとか？」

（うわっ！　超イケメン！）

物腰丁寧な男性を見たルーシィの胸は、ときめいてしまう。

サラサラの髪に、妖精の尻尾《フェアリーテイル》では絶対に見ない甘い顔立ち、細身の体。

ちょっぴり頼りない感じがするものの、優しいお兄さんといったふうで、失礼だとは思いながらも見つめてしまう。

「あれ？　そちらのお方は……？」

「連れだ」

「初めてじゃないですか、誰かをここに連れてこられるなんて」

そう言って、ルーシィにおじぎをする。

「クロノア・ハートクロイツです。以後、お見知りおきを」

（妙に馴《な》れ馴れしいわね……）

ルーシィは、前に会ったことのある青い天馬《ブルーペガサス》のホストっぽい人物を彷彿《ほうふつ》とさせるクロノアを、じっと見つめた。

「なにか？」

「いえ、こちらこそっ」

慌ててルーシィも頭を下げる。

「今日は、武具作製について依頼しに来た。奥を借りるぞ」

エルザが慣れた足取りで奥へと進んでいく。

「ちょっ……案内しますよっ！」

クロノアが駆け足で奥へと消えていく。

「あ、あたしも！」

靴をカツンカツンと鳴らし、ルーシィはエルザの後を追う。

ルーシィが来るまで開けておいたのか、奥の部屋のドアが開けっ放しになっていた。

「失礼しまーす」

と、そっとエルザの横に座る。

「うわぁ……」

エルザの前には、様々な武具のカタログが広げられていた。

「へぇ、すごい。いつも、この中から選んでる――」

カタログを手に取ったルーシィは、言葉を詰まらせた。

本の後ろに印刷されている社名は、ハートクロイツではなかったからだ。

「あれ？　これって……」

「当社では、武具は扱っておりません。しかし、エルザさんがどうしてもとおっしゃるので、こうやって他社のカタログを参考に、特別に作製しているんですよ」

「そ、そうなんですか……」

カタログに目を落とす。

たしかに見たような形であっても、材質や色なんかが違っていた。

「で、今日はどのようなご注文でしょうか？」

「剣を頼みたい」

「剣、ですか……」

小さく息を吐き、クロノアは一冊のカタログをエルザの前に広げた。

「うちで頼むということは、それなりの効果がついたものをお求めですよね……」

「今回は、破邪の能力を付加してもらいたいんだが」

「破邪！」

文字通り、邪気を払う能力だ。

（でも、エルザ……そんな感じの武器、持ってなかったっけ……？）

「破邪かぁ……また無茶言うなぁ……」

「なにか言ったか？」

「いえ。うーん……埋め込まないとムリそうですねぇ」

カタログをペラペラとめくり、クロノアは言葉を続けていく。

「細身の刀もいいけど、埋め込み型なら断然こっちだなぁ」

うーんと唸《うな》りながら、考えこんでいる。

「エルザは、どんな形がいいの？」

「特にない」

「え――？　せっかく注文するのに！」

驚いているルーシィを見て、エルザは肩をすくめた。

「私は、ハートクロイツのデザイン力を買っているからな。文句は言わん」

「なるほど……」

「お褒めいただき、光栄です」

ニコッと笑うと、クロノアは急に険しい顔になった。

「エルザさんの知っての通り、武具はうちで作ります。ハートクロイツの社名において、不完全なものはお売りしません。が――」

「が？」

「特別な力を秘めた鉱石を手に入れることは無理です。刀身となる鉄や銀などの鉱石は、簡単に用意できますけどね。今回も、エルザさんには材料となる鉱石を持ってきてもらわないと」

「……分かった。それは、どこにある？」

「えぇっと……ちょっと、待ってくださいね」

クロノアは、急ぎ足で部屋を出ていった。

「ねぇ、エルザ……」

誰にも聞かれていないとは思っても、自然と声が小さくなってしまう。

「いつも、こんな感じなの？」

「そうだが」

「そっか。でも、なんで破邪？」

破邪というと退魔のイメージがあるので、なんだか必要ないようにも思える。

エルザが言いよどむ。

「そ、それはだな……」

「ほら！」

ルーシィはやっと、エルザの武器を思い出した。

か？」

「鎗《やり》で破邪の効果があるの、持ってたじゃない？　やっぱり、剣のほうが使い勝手いいと
「あぁ……あれは、それほど効果がなくてな」

「効果が強いのが欲しいの？」

むう、と唸《うな》ったエルザは、小さく息を吐いた。

「……最近よく、闇ギルドのやつらとぶつかっているだろう？　末端のメンバーは、上層部に感化されているだけの者もいる。そういうやつらの、心の闇を払えたらと思ってな」

「なるほど……」

思わず感心してしまう。

（あたしは、そこまで考える余力ないもんなぁ……）

「資料、持ってきましたよ！」

クロノアが、紙束を手に駆け足で戻ってきた。

「ここ、ローズ山脈から採れるらしいと言われています。確実じゃないんで、無駄足になるかも――」

「行ってみれば、分かることだ」

「ははっ、たしかに」

「じゃあ、行ってくる」

エルザは紙束を受け取ると、部屋を出ていく。

またもルーシィは置いてけぼりだ。

「ちょっと、待ってよぉ！」

＊　＊　＊　＊

「そういうことで、おまえたちにも来てもらいたい」

ギルドに戻るなり、エルザはナツとグレイ、そしてハッピーに声をかけた。

「なんでオレが――」

と言いかけたグレイが、エルザの殺気を感じとる。

「行くっつの。依頼も少ないから、やることもねえし」

「石掘るだけだろ？　すぐ終わらせてやるよ」

ナツはやる気マンマンだった。

「で、どこ行くの？」

ハッピーの言葉に、エルザが答える。

「ここから西にあるローズ山脈だ。少々遠いが、気にすることはない。魔導四輪で行けば、すぐ着くだろう」

「は？」

乗り物で行くと知ったナツの顔が強《こわ》ばった。

「近くじゃねえのか」

「マグノリアの近くに、鉱山などないだろう？　さあ、行くぞ」

「ちょ……待て、エルザ。オレ、やっぱり……」

「やっぱり……なんだ？」

ギロリとした視線を受け、ナツがしおしおとしおれていく。

「……行きます」

「よろしく頼むぞ」

＊　＊　＊　＊

先ほど乗っていた魔導四輪に全員が乗り込むのを確認すると、エルザは急発進させた。

心地よい風が、頬《ほお》を撫《な》でていく。

しかし、スピードが出すぎな気もする。

心配になったグレイが、エルザに声をかけた。

「おいおい、エルザさんよぉ……そんなに飛ばして、魔力が持つのか？」

「今回は仕事じゃない。魔法を使うこともないだろう。帰りの魔力のことも考えて走っているから、気にするな」

グレイとエルザが話しているのを聞きながら、ルーシィは持っていた紙束を見た。

そこには、ローズ山脈の場所と、掘れる鉱石の種類などが書かれている。

「すごい！　高価なものばっかり！」

「ルーシィは、金の亡者だね」

横に座っていたハッピーの言葉に、すばやく反応するルーシィ。

「そういう言い方しないでくれる？　だって、本当のことなんだもの」

「どれどれ？」

ハッピーが紙束を覗《のぞ》き込んだ。

難しい顔をして、じっと紙を見つめている。

「ほら、ぐうのねも出ないじゃない」

「……ネコには、よく分かりません」

ルーシィの鼻がひくひくと震える。

「だったら、最初に言いなさいよっ！」

そう言って、気分を変えるため、窓の外を見た。

拓《ひら》けた道の先——山々が連なる山脈が見えてくる。

「あれが……？」

山頂が白く、そこからグラデーションのように下に向かって赤くなっていく。

「赤⁉」

「ローズ山脈ってのは、山肌にバラが咲くことで知られている。有名な観光地にもなってんだぜ」

「へぇ……グレイ、詳しいのね」

「前に一度、仕事で来たことがあんだ。再開発を邪魔する輩《やから》を、排除してくれっていう依頼でな」

「物騒ね……」

顔をしかめるルーシィに、エルザが言葉をかける。

「いつの時代も、変わることを望まない者はいる」

「それも、そうね……再開発か。観光地として、拓《ひら》けるのかしら？」

「どうなんだろうな」

「こんなにイイ香りがするんだもの。絶対、はやるわよ！」

近づくにつれて、微《かす》かにバラのニオイが香ってくる。

「ほんと、いいニオーイ！」

うっとりとした表情を浮かべるルーシィに、ハッピーが首をかしげる。

「ルーシィ、食べ物でもあった？」

「ハッピー……ねぇ、あたしがいつ食べ物の話した？」

「オエエエ……き、気持ち悪い……」

ルーシィの横で、ナツが白目をむいている。

「ナツ、深呼吸してみたら？」

と、ルーシィがナツを起こそうとしても、ナツは首を振るばかり。

「う、動かさないでくれ……」

涙目のナツをおもしろがって、グレイもナツを起こそうとルーシィに手を貸す。

「おら、ナツ！　起きろって」

「や、やめて……くれ……」

騒ぐ後部座席に、エルザが言葉を投げかける。

「道が通れそうだから、このまま、魔導四輪でつっこむぞ！」

「はーい！」

そう返事をした瞬間。

山道に入ったのだろう。ガタガタと揺れ、ナツの体が、車から投げ出されそうになる。

「うわっ！　あぶなー……」

山脈をぬって、先へと進んでいるため、落ちたら谷底へ真っ逆さまである。

ナツの襟首を摑《つか》むルーシィに、ナツが弱々しい声をあげる。

「このまま……落として……」

「バカ！　死ぬわよ！」

いくらナツが滅竜魔導士《ドラゴンスレイヤー》だとしても、この高さから落ちたのでは命はないだろう。

「む、無理よね……」

こわごわと、窓から外を見下ろした途端、車が止まった。

なにもない山道。

谷底は見えず、ただただ暗い。

こんな場所に止まるとは、いったい、どういうことだ。

「エルザ、どうしたの？　着いた？」

「いや……」

そう言ったエルザの視線の先には、ゴリラのような形をした魔物の群れが、鉱山の奥へと続く道を塞いでいるのが見えた。

「赤いバルカン！」

ルーシィの声に、グレイが顔をしかめる。

「バラバルカンだ……」

「バラ、バルカン？」

聞きなれない名前に、ルーシィが首をかしげた。

「この山脈にしか生息してないバルカンで、メスが力を誇示しているんだ」

「そ、そうなの……」

よく見ると——たしかにメスなのか、唇の部分がうっすらと赤い。

バラで染色しているのだろうか。

口紅に見えなくもないところが、また気持ち悪い。

「このまま止まっててても仕方ない。戦闘だ！」

エルザは素早くSEプラグを外し、細い道に降り立った。

「行くぞ！」

エルザが声をあげる。

その途端、片手が空気の渦に包まれたかと思うと、それは瞬時に、剣となって形を成していった。

「ナツは——」

ルーシィの横で、グロッキー状態になっているナツ。

「今は無理だね！」

ハッピーの言葉に、ルーシィとグレイは後部座席から降りた。

足場は幅3メートルの山道のみ。

吹き飛ばされたら、谷底に真っ逆さまだ。

「おいおい、こんなところで戦うのかよ」

大型の魔物バルカンでは、二匹並ぶのは難しい。

視線の先で、ひしめくようにして、ルーシィたちに向かってくる。

「場所、作るしかねえな」

そう言うと、グレイは両手を合わせて吼《ほ》えた。

「アイスメイク……床《フロア》！」

戦闘場所を広く確保しようと、グレイが魔法を唱える。

その瞬間、谷底が見えなくなるほどの厚い氷の層が視界いっぱいに広がった。

「簡単に割れるこたぁねえから、安心して戦えるぜ」

「よし！」

エルザが山道を駆け、高く跳躍する。

「換装！」

そう声をあげた瞬間、エルザの体には真っ黒な鎧《よろい》が装備された。

タセットなど、腰回りにはなにもついていない鎧は、動きやすさが重視されているようだ。

一時的に攻撃力を上げ、またこの狭い場所でも戦えるよう跳躍力もある、この鎧《よろい》——黒《くれ》羽《は》の鎧は、バージョンアップされており、エルザの魔法〝騎士《ザ・ナイト》〟でもよく使われている。

「ンゴッ⁉」

バルカンの1匹が、空から降りてくるエルザに気付くが、もう遅い。

エルザの剣が、1匹、また1匹とバルカンを地に伏せていった。

ルーシィも負けてはいられない。

腰に下げた鍵束の中から、1本の鍵を引き抜いた。

「開け……白羊宮《はくようきゅう》の扉！　アリエス！」

心地よい鐘の音とともに、魔法陣が現れた。

その魔法陣から出てきたのは、モコモコのミニワンピを着て、頭にクルンと曲がった角をつけた女の子だ。

「アリエス！　バルカンに攻撃よ！」

「は、はい……頑張ります……」

妙に弱気なアリエスは、両手をバルカンの群れに向かって突き出した。

「ウールボムッ！」

アリエスの両手から、モコモコしたまっ白な毛が飛びだしてくる。

バルカンに向かっていった毛の束は、突然の攻撃で動けなくなっているバルカンたちを呑《の》み込んでいく。

「やったわ！」

「アイスメイク……大鎌《デスサイズ》！」

グレイは、自身の身長ほどもある大きな氷の鎌を振り回すと、バルカンを刈り取るようにしていった。

何度も死闘を繰り広げてきたルーシィたちに、バルカンは為《な》す術《すべ》もなく、氷の床が張られていない谷底へと落とされていく。

「はぁっ……はぁっ……」

剣で地面をつきさし、それに摑《つか》まるのがやっとのエルザに気付き、ルーシィが駆け寄った。

「エルザ、大丈夫？」

「少し、魔力を使いすぎたようだ……」

「そりゃ、そうよ！　もう無理しないで。あとはあたしたちがやるから」

「この先の洞窟で掘ればいいだけだろ？」

バルカンがいなくなり、視界良好になった先――山肌に、ポッカリと空いた洞窟が見えた。

「悪いな、おまえたち……少し休んでくる……」

と、魔導四輪へとよろよろと歩いていく。

「ハッピー、エルザをよろしくね！」

「あいさー！」

「ついでに、ナツも。気分がよくなったら、手伝いに来てって伝えて」

「あい！」

ハッピーの返事を聞くと、ルーシィとグレイは洞窟の中へと入っていった。

＊　＊　＊　＊

洞窟内は妙にシンとしていて、なにか話さないと耳鳴りを起こすほどだった。

「どんな鉱石なんだ、いったい？」

「うんとね、七色に光ってるやつ」

「あん？　なんだそれ」

「特殊な宝石だってば！」

「めんどくせえな」

と言いながら、グレイは造形魔法でピッケルを作った。

「あ……」

掘り始めているグレイの横で、ルーシィが小さな声をあげる。

「どうしたよ？」

「タウロスに掘ってもらおうと思ってたんだけど……」

「まさか、魔力がないとか言うなよ？」

「ううん」

申し訳なさそうに首を振ると、ルーシィが照れ笑いを浮かべた。

「今日は、タウロス呼べないんだった！」

「はあ？」

掘っていたグレイの手が止まる。

星霊は、決まった曜日にしか呼べない決まりになっている。

いつでも呼び出せるわけではないのだ。

ルーシィが契約している中で、掘る力のある星霊といえばタウロスかバルゴなのだが、
今回バルゴは不適任だろう。

地面をガツガツと掘り進められては、せっかくの鉱石が崩れてしまう恐れがある。

（んー……困ったな）

ルーシィが、チラリとグレイを見た。

グレイの手には、氷でできたピッケルが握られている。

「グレイ、お願い。そのピッケル貸して！」

「……しかたねえな。ほら」

冷たいピッケルを握りしめ、ルーシィは洞窟内を掘り始めた。

クロノアからもらった資料には、たしかにこの洞窟内から掘れるらしいと書いてあった。

だが、いつまで掘っても、目当ての鉱石が出てくる気配がなかった。

鉄や銀など、値が低いものばかりが積みあげられていく。

「なによ、ガセネタ？」

積みあがった鉱石を手に取る。

宝石類は、なにもない。

「もっと、奥にあるのかしら……」

ふと、視線を暗い洞窟の奥へと移動させたルーシィの背後で、ナツの声が響く。

「よっしゃあああ！　気分爽快！」

入り口に、腕をぶん回しているナツの姿があった。

「火竜《かりゅう》の……鉄拳！　ほわちゃああ！」

炎をまとった拳で、壁を崩していくナツ。

「ナツ、ここ出ないみたいよ？」

「は？」

「ガセだったみたい」

「風邪？」

「いや、ガセ」

ナツはポカンとして、ルーシィを見つめた。

ルーシィの足もとには、鉱石の小さな山ができている。

「あるじゃねえか」

「これは鉄とか、銀とか。目当ての宝石じゃないけど……」

「もうちょい掘ってみるか？」

そう言って、グレイが新たに氷のピッケルを作った。

「いや、もういい……」

入り口から、エルザの声が聞こえてくる。

「クロノアも、あるかどうか分からないと言っていた。きっと、ここから鉱石は出ないのだろう」

「でも、それじゃあ……」

エルザの気持ちを聞いてしまったルーシィは、どうしても諦めがつかない。

（エルザは、みんなを救いたいだけなんだ……絶対、エルザに新しい剣を作ってあげたいのに……！）

「帰ろう。また相談しに行けばいいさ」

「エルザ……」

そう、ルーシィが呟《つぶや》いた瞬間。

洞窟内が急に暗くなる。

「な、なに⁉」

ルーシィが、サッと身がまえる。

暗くなった原因を探ろうと、視線を巡らせたルーシィは、目を見ひらいた。

「まさか……バルカン？」

入り口を塞いでいるのは、たしかにバルカンだ。

しかも、先ほど戦ったバルカンよりも遥《はる》かに大きい。

「宝石、アダジのもの」

「は？」

足もとに山積みになっている鉱石に、視線を移す。

(宝石なんて、ないのに……)

「アダジのもの、持ち出すなんて許さない」

「ちょっ……！」

大きな体に似合わないほどの、素早いスピードで、バルカンがこちらに拳を振り上げ、向かってくる。

「くっ……！」

バルカンの一番近くにいたエルザが、吹っ飛ばされる。

「エルザ！」

駆け寄ろうと、足を踏み出したルーシィの顔が強《こわ》ばった。

先ほど谷底に落としたバルカンの群れが、入り口からゾロゾロと入ってくるのが見えたからだ。

「あんなにたくさん……！」

息を呑《の》むルーシィの横で、ナツがグッと拳を構えた。

「全部倒せば済む話だろ！」

言いながら、ナツがバルカンの群れに突っ込んでいく。

「仕方ねぇな……やるか！」

グレイも上半身裸で、ナツの後に続いた。

「あ、あたしも！」

鞭《むち》を構えようと腰に手をやったルーシィは、握力がなくなっているのか、鞭をポトリと地面に落とした。

（そ、そんな……）

慣れないことをしたせいだろう。

鞭を振るうことは、できそうにない。

悔しそうに歯がみしながら、次々と洞窟内に入ってくるバルカンたちを見すえる。

いくら妖精の尻尾《フェアリーテイル》のトップクラスの魔導士たちとはいえ、こんなに大勢じゃ……。

ぐっと手に力を入れ、ルーシィは腰に下げた鍵束から1本引き抜いた。

「開け！　巨蟹宮《きょかいきゅう》の扉……キャンサー！」

心地よい鐘の音とともに――髪を編み込み、サングラスをかけた無骨で細身な男が、魔法陣から飛びだしてきた。

背中から、左右に3本ずつ肢《あし》が生えている、カニの姿を模した星霊だ。

「ルーシィ……今日は、どんな髪型にするエビ？」

「エビキタ――――！」

星霊キャンサーを見て、ハッピーがはしゃぐ。

そんなハッピーをシラーッとした目で一瞥《いちべつ》すると、ルーシィはバルカンに向き直った。

「キャンサー……空気、読んでくれる？」

「…………」

ハサミを使った攻撃を得意とするキャンサー――いつもは、ルーシィの専属美容師として呼ばれることが多い。

そのため、呼ばれてもすぐに戦闘！　といかないのが難点である。

「戦闘よ！　バルカンを一掃して！」

「ＯＫエビ！」

キャンサーは両手にハサミを構え、グレイやナツの戦闘に加勢に行く。

「あたしは……」

周囲を見回すルーシィは、魔力がほぼ空になっているエルザを見つけた。

鋭い目つきで、剣を支えに立ち上がろうとしている。

「エルザ、無理しないで！」

「いや、ここは私がやらなくては」

「だって、この数よ！　それに、ナツとグレイもいるし――」

そう言った途端。

ルーシィの横に、グレイが吹っ飛ばされてくる。

ものすごい音を立てて、洞窟の壁にぶつかるグレイ。

「グレイ！　大丈夫……？」

「いてて……ちょっと油断しただけだ」

グレイが、わさわさと洞窟内にひしめくバルカンを睨《にら》み付ける。

「多すぎねえか？」

「きっと、バルカンの巣だったのよ……」

表は観光地でも、山奥はモンスターの巣ということはよくあることだ。

油断していた自分たちがいけなかった。

「……ぐぐっ、この数、ナツとグレイだけでは無理だろう」

エルザが立ち上がる。

魔力がない状態で、換装はできない。

武器は剣一本。

防具はない。

そんな悲観的になりそうな状況でも、エルザは立ち上がる。

「こ……来い！　私が相手だ！」

大きなバルカンが、エルザの言葉に反応する。

「アダジ、女キライ」

「は？」

エルザとルーシィが、言葉を失う。

「戦うなら、イゲメンがいい！」

ニヤニヤとした笑みを浮かべると、大きなバルカンはナツに向かって、踵《きびす》を返した。

「ナツ、行ったわよ！」

「あん?」

攻撃というよりも、大勢のバルカンに迫られていたナツが振り向いた。

「アダジ、あんたズギ!」

「オレは、獣に興味ねぇよ!」

「けも……獣って言うなあああああ!」

バルカンの怒りの導火線に触れたのか、大きな拳を振り回し、ナツに突進していく。

「火竜《かりゅう》の……」

ナツの両手が、炎に包まれ燃え上がる。

「翼撃!」

まるで竜が飛ぶように、周囲のバルカンたちを炎で薙《な》ぎ払っていく。

雪山に好んで住み着くという白いバルカンは炎が苦手なのに対し、赤いバルカンに炎の攻撃はそう効くものではないはず。

それでも、ナツの炎の攻撃は別格だ。

竜を滅する炎に、バルカンたちは為《な》す術《すべ》もない。

顔をしかめ逃げていくもの、地面に倒れそのまま起きあがらないもの、とりあえずナツに反撃をしかけるもの――で、あたりは騒然となる。

「ナツだけに、イイかっこさせるかよ!」

グレイが両手を構える。

「アイスメイク……監獄《プリズン》！」

声をあげると同時に、目の前に大きな氷の檻《おり》が現れた。

「んがっ！」

「ぎぎぎぎ！」

バルカンが、まとめて収容されている。

「おい、てめぇ！　オレの獲物に、手ぇ出すんじゃねぇよ」

ナツがグレイに詰め寄る。

「いいだろ、こいつらの退治をしに来たんじゃねぇんだからよ！」

ガンを飛ばすグレイとナツの間に、ルーシィが割って入る。

「まだ終わってないんだから、ケンカすんじゃないの！」

「！」

残っているのは、大きなバルカンのみ。

「イゲメン……イゲメン……！」

と、狙いをナツとグレイに定めている。

「気持ちわりぃな……」

「話せる分、タチが悪いわね」

それぞれが身がまえた瞬間、大きなバルカンが音を立てて倒れた。

倒れた先に、エルザが息を切らして立っている。

「女……に、やられるなんて……」

バルカンが沈黙すると、エルザは、フラフラと地面に腰をおろす。

「さすがの私も、もう魔力が空だ」

自嘲的に笑みを浮かべるエルザの横に、コロンとひとつの鉱石が転がった。

「それ……」

ルーシィが指さす。

緋色《ひいろ》の原石。

しかし、求めている宝石とは全く違っていた。

エルザは、その原石を力なく拾い上げる。

「エルザの髪と同じ色だね、それ」

そう言ったルーシィに、エルザが照れくさそうに微笑《ほほえ》む。

「これは、持って帰るとして……とりあえず、引き上げよう。すまないな、みんな」

「でも、エルザ……」

ルーシィの言葉を、エルザが遮った。

「いつ、こいつらが起きあがるか、分からないだろう？　一旦、帰ろう」

「ま、それが得策だろうな」

そう答えるグレイの横で、ナツが顔を強《こわ》ばらせる。

「ってことは、また乗るのか……」

＊　＊　＊　＊

魔力が切れ運転できないエルザに代わり、免許を持っていたグレイがSEプラグをつけ、帰路を急ぐ。

「んー……」

諦めがつかないルーシィは、揺れる後部座席でもらった紙束とにらめっこしていた。

「これ、どっかで見たことあるのよね」

ルーシィは、トントンと鉱石の絵を指でたたく。

「あんまり宝石に詳しくないあたしが見たことあるってことは、きっと最近だと思うんだけどな」

考えこむルーシィの横で、ハッピーが手をたたく。

「鉱石なら、ルーシィの家にもあるじゃん！」

「は？　なんで、あたしの家？」

「こないだ、遊びに行ったときに見たんだ。でも、ルーシィはいなかったけど」

「ちょっと！　また無断で家に入ったわけ⁉」

ハッピーの頬《ほお》を、むにーっと摑《つか》みながら、ルーシィは家の内部を思い出した。

（まってよ……この七色の宝石って……）

「エルザ。もしかしたら、いけるかもっ！」

＊　＊　＊　＊

当日に戻ってくるとは思っていなかったクロノアが、驚いたような顔で出迎える。

「は、早かったですね！　見つかったんですか？」

「多分……」

曖昧に答えるルーシィを見て、クロノアが首をかしげる。

「多分？　見せてください。もし、そうなら、すぐに作製いたします！」

「あの……」

「？」

ルーシィの手には、なにもない。

もちろん、グレイやナツ、エルザの手にも。

「なかったんですか？」

「鉱山には、なかったんです」

申し訳なさそうにしているルーシィを見て、クロノアは残念そうな表情を浮かべる。

「あの宝石は、多分、もう存在しないんです……何百人もの採掘士が、探そうと躍起になった代物でしてね」

クロノアはそう言って、エルザを見た。

「今回はエルザさんのお願いでも、ちょっと無理――」

「クロノアさん、もう少し待ってください。多分、同じものがあると思うんです」

ルーシィはそう言うと、チラチラとエントランスに視線を移す。

「どこに――」

「ルーシィ、もういい。所詮、私の思っているのは夢物語だ」

「そんなことないっ！」

ルーシィがエルザにかみついた。

「心まで救ってあげたいなんて、エルザだからこそ言えることなのに……それを夢物語だなんて言っちゃダメだよ！」

「そうだよ、エルザ」

聞きなれた声が聞こえ、ロビーにいたメンバーが一斉に振り返る。

そこには、レビィをはじめ、ギルドのメンバーが顔を揃《そろ》えている。

エルザが目を丸くする。

「みんな……なぜ、ここに？」

「ハッピーに聞いたの。宝石を探してるって」

そう言って、レビィは寮母の形見でもある宝石箱を差し出した。

「これなんでしょ？　七色に光るレインボージュエル。ヒルダおばあちゃんも、きっと使ってもらえたら、嬉《うれ》しいと思うよ」

開いた宝石箱の底で、レインボージュエルが輝いている。

「なんで、そんなとこに宝石が？」

グレイが首をかしげる。

「前の寮母さんの宝物なの。なんだか封印されてるみたいで、取れなかったんだけど」

「じゃあ、使えないじゃんか」

ナツが顔をしかめた。

「ううん。それがね」

レビィが空中に文字を書ける光筆《ヒカリペン》で、宝石箱の上に文字列を書いていく。

「封印の解き方が分かったの」

レビィが嬉しそうに微笑《ほほえ》んだ。

「この宝石の使い道を書くのよ。正しい使い方だったら、取れるように――」

そう言って、レビィはペンを止めた。

すると――光り輝く文字列が宝石箱に入っていく。

まるで、文字のひとつひとつが宝石のようだ。

全ての文字が宝石箱の中に入ると、宝石箱の底に埋まっていた宝石が浮かびあがった。

虹色に輝く宝石が、ロビー一帯を照らしだす。

「………」

絶句しているエルザに、レビィが言葉をかけた。

「ルーちゃんがさっき言ったこと、ちゃんと聞こえたよ。今使わなきゃ、きっとヒルダおばあちゃんが悲しむと思う」

「みんな……」

エルザが振り返る。

ルーシィも、ナツも、グレイも、エルザに頷《うなず》いた。

そんなみんなの気持ちを感じとって、エルザの目にうっすらと涙が浮かぶ。

「ありがとう……ありがとう……」

＊　＊　＊　＊

数週間後――ハートクロイツ社から、一本の剣が妖精の尻尾《フェアリーテイル》のギルドに届いた。

白木の箱に入った剣を前に、エルザの口元に笑みが浮かぶ。

自分も見たい一心で、ルーシィはエルザに声をかけた。

「ねぇねぇ、エルザ。早く開けてみて！」

「そうだな」

ゆっくりと白木の箱が開いていく。

幅広の鍔《つば》の部分に宝石が小さく埋め込まれている、キラキラと光る剣が現れる。

「ほう……」

感嘆のため息をついたエルザは、剣を手に取り、自身の前に掲げた。

その途端――『慈眼の剣』と書かれている証明書が、ヒラヒラと足もとに落ちる。

「慈眼？　破邪じゃないの？」

証明書を拾い上げ、首をかしげるルーシィの横で、エルザは嬉《うれ》しそうに頬《ほお》を染め、剣をじっと眺めていた。

いつか、これを使って人の心を救える日を夢見て……。

scene 6 心に宿るcolor

「雨、止《や》まないわね……」

ルーシィが、ギルドの窓から空を見上げる。

ぶ厚い雲は、強い風に流されていくばかり。

途切れそうにもない。

「こういうときは、ゆっくりするもんだぜ」

と、グレイがコップに口をつけた途端、勢いよく中身を吹き出した。

「ぐふっ……な、なんだ、これ……」

呻《うめ》くグレイの横で、ナツが嬉《うれ》しそうに笑みを浮かべた。

「あははは！　かかったな、グレイ！」

騒ぐナツの手には、ペッパーソースの大きなビン。

「て、てめぇ……」

ルーシィの横で、つかみ合いのケンカが始まる。

この妖精の尻尾《フェアリーテイル》に来た当初は、やめさせようと止めたりもしたけれど、今じゃ笑って見ていられるまでになった。

(それも、どうかと思うけどね……)

行きすぎた行為になれば、マスターが止めるので、楽観的になれる。

「あれ?」

ルーシィは、ふと視界の隅に違和感を感じ、空を見上げた。

先ほどと変わらない雲。

しかし、目をこらしてみると、雲が渦を捲《ま》いているようにも見える。

渦の中心に吸い込まれるようにして、微《かす》かに輝く4色の小さな球が浮かんでいく。

「え……!」

じっと空を見つめているルーシィの横に、エルザがやってきた。

「どうかしたか、ルーシィ」

「いや、あそこ……アニマみたいな」

「!」

エルザが窓に張り付くようにして、空を見上げる。

「ど、どこだ?」

「え? ほら、あそこ——」

指をさそうと手をあげたルーシィは、目をパチクリさせた。

渦状の雲はない。

4色の光も、今は見えない。

「ごめん、気のせいだったかも」

「疲れているときは、これだ」

エルザが差し出したコップの中には、妙な虫が浮かんでいる。

「栄養があるんだぞ」

「いやあああああああっ！」

首を振り、後ずさるルーシィが、ナツの足を踏む。

「ルーシィ、おまえも交ざりたいのか！」

「違う！」

今日も平和である。

ある世界を除いては。

＊　＊　＊　＊

耳をふさぎたくなるほどの警報が鳴り響く街の中で、市民たちが慣れた足取りで駆けていく。

家は崩れ落ち、瓦礫《がれき》で道は塞がれ、子どもたちの泣き声が周囲に響いていた。

ここエドラスでは——週に一度は、こういった避難警報が鳴る。

訓練ではない。

あまりに頻繁に鳴るので、危機感が薄れそうになるが、周囲の雰囲気を敏感に感じとる子どもたちは慣れることなく、泣き叫ぶ。

そんな叫び声に顔をしかめ、武器を手にした少女が声高に叫ぶ。

「一般市民は避難区域Ｄに避難！　急げ！」

緋色《ひいろ》の髪を揺らし、エルザ・ナイトウォーカーが街の中を走った。

エルザに懇願の視線を送りながら、市民たちはＤ地区へと向かっていく。

（くっ……まだ続くというのか！）

手には、ボロボロになった鎗《やり》がひとつ。

魔力があった頃に活躍していた、魔鎗《まそう》テン・コマンドメンツは、今じゃ通常の武器と同様にしか使えない。

しかし、戦場で常に一緒だった武器を、そう簡単に手放せるわけもなかった。

「第二防衛隊長！　襲撃はレギオンじゃありません！」

「なんだと？」

兵士からの報告に、エルザが顔をしかめる。

コンセントリック型のような城塞を囲むようにして、何層にもなっていた円形の街――その周囲を守るような城壁、その上で見張りをしていた兵士が、望遠鏡から目を離す。

「今回は、ヴィブリッツサの群れです！」

「あいつらか……！」

エルザは崩れ落ちた城壁へと跳躍し、見張りの兵士の横に立つ。

視線の先――砂煙をあげて、こちらに向かっているのは、体長が5メートルほどあるカエルだった。

頭部には角が生え、カエルには似つかわしくない走りでやってくる。

「今回はレギオンはなし、か」

「そうですね」

安堵《あんど》の表情を浮かべる兵士を見て、エルザが鼓舞するように背中を叩《たた》く。

「だからと言って、気は抜くな。先に行く」

そう言って、エルザは迷うことなく、城壁から飛びおりた。

城壁の向こう側は、荒れ地だ。

見回すと、ところどころに骨になった大きな動物の死骸が転がっている。

「いつまで続くんだ……」

と思わざるを得ない。

魔力がなくなってから、乗り物として使っていた魔物、レギオンの制御が効かなくなった。

魔力で制御していたのだから、なくなったら言うことを聞かなくなるのは当然とも言える。

しかし、そのレギオンが反旗を翻すとは予想もできなかった。

「なにを考えている……」

世界の魔物を従え、王国を狙う意味。

それがよく分からない。

休む間もなく、繰り返される襲撃に、民も兵も疲弊しきっている。

正直、エルザも限界だった。

魔力がない武器では、勝てる気がしない。

それでも逃げ出さずに、前線で戦っているのは——生きたいからだ。

「魔力がなくても生きている」

アースランドのエルザが言った言葉だ。

それを証明したい。

だから、逃げない。

だから、諦めない。

そう思う同志がいるから、戦える。

「遅くなった！」

鎗《やり》を身構えようとしていたエルザに、声がかかる。

「アルアルか！」

「そう呼んでいいのは、私だけよ。エルザ」

視線を移した、そこには——長い髪をひとつにまとめ、下着に近い軽装をした女性ビスカと、銃を手にマントを羽織っているアルザックがいた。

「ビスビス、今はそれどころじゃ……」

「なによ、アルアル！ 浮気する気⁉」

「そうじゃなくって……僕がビスビス一筋なのは知ってるだろ」

「おい」

痴話ゲンカになりそうなので、エルザが割って入る。

「おまえたちが、仲いいのは知っている。ただ、名前が分かりづらいんだ。ビス……カと、アルザックだったたか？」

「そうよ。これでも私たち、レギオン調査部隊の隊長なんだから、いい加減、覚えてほしいわ」

「す、すまない……」

エルザが頭を下げる。

「でも、調査部隊がなぜ――」

「第四防衛隊長シュガーボーイは、前回の襲撃で入院中。ヒューズは連絡取れず。参謀のルーシィは、王子に報告しに行ったわ。戦える者は前線へ！　ですって」

「それで、おまえたちも……あれ？」

エルザが首をかしげる。

「服だるまは？」

「第一防衛隊長は、こっちに向かってるっぽいけど……あの服装じゃ、着く頃には終わってるわね」

「服だるまって……」

アルザックが笑いを堪《こら》える。

「グレイだろ、グレイ・ソルージュ」

「覚えにくいんだ」

エルザは肩をすくめると、周囲を揺らすほどの地響きに顔を引き締める。

「来るぞ！」

＊　＊　＊　＊

「待ってよ、ジュビアちゃん！」

ドスドスと足音を立てて、何枚も服を着込んだ男が走る。

「グレイが遅いのよ、もう始まってるわ！」

ジュビアと呼ばれた、つり目気味の女がグレイを睨《にら》み付ける。

「なんで、あんたみたいなのが防衛隊長なの！　信じらんないっ」

「あ、愛の力かなぁ……」

「は？　ジュビア、先に行くから！」

「待ってくれよぉ……」

情けない声をあげるグレイを置いて、ジュビアは瓦礫《がれき》を飛び越え、前線へと走り去っていく。

「ううっ……」

着込みすぎた服が、動きを遅くさせている。

そんなのは、よく分かっているのだが、冷え性のせいで脱ぐわけにはいかない。

（どうして、アースランドのオレは、あんなに身軽に動けるんだろう……？）

あの事件があってから、グレイはアースランドの自分を真似《まね》て、上半身裸にもなってみた。

が、翌日、風邪をひいて寝込んでしまったのである。

（あんなふうに動けたら、きっとジュビアちゃんも見直してくれるんだろうな……）

悔しいかな、自分にはそれができない。

妖精の尻尾《フェアリーテイル》では助けてもらってばかり。

アースランドの魔導士にも、いいところを見せることはできなかった。

だから、せめて——魔力がなくなった世界では役に立ちたいと、防衛隊長に立候補したのだ。

まさか、なれるとは思っていなかったが、ルーシィの推しもあって、見事なれたのである。

しかし、なったところで同じこと。

薄着になれない自分は、前線に行ってもアワアワするばかりだ。

「敵襲！　E地区にレギオンの姿を発見！」

自分を追い抜いていく兵士たちが、口々に騒ぐ。

「E？　だって、襲撃はGだって……」

顔をしかめるグレイに、兵士が言葉をかける。

「同時襲撃です。Gはヴィブリッサ、エルザ隊長や調査部隊の方が、戦闘を開始しています」

「じゃあ、E地区には誰もいない……?」

「運搬部隊のナッツ隊長がひとりで向かったようです」

衝撃の事実にグレイの足が止まる。

「ナッツがひとり?」

ナッツは大事な友だちだ。

魔力があった頃は、ファイアボールのナッツと呼ばれ、運び屋の仕事ばかりをしていたが、実際は車から降りると、極端に弱腰になり、涙を浮かべることも少なくない。

そんなナッツでさえ、みんなを守るために立ち上がっている。

武器さえ扱うことができないのに。

(ナッ……)

ナッツの身を案じるグレイに、兵士が更なる言葉を続ける。

「G地区から、妖精の尻尾《フェアリーテイル》が向かっているようですが、離脱できるかどうか……どうやら、G地区にもレギオンが現れたようですし」

「グレイ隊長、お願いします!」

「え?」

兵士たちの、懇願するような視線に見つめられ、グレイはグッと唇を噛《か》んだ。

(オレだって、できるってとこ……見せないと！)

身動きの取れない服装で、今までみんなの足を引っ張ってきたけれど、今回は同時襲撃。

戦力が分散されることは必至だ。

城壁をこえられたら、避難区域にまで被害が及ぶ。

それは許されないことだ。

どんなときでも笑顔で。

ギルドの理念でもある。

それを守るため、今は戦わなければならない。

「分かった、オレが行く！」

グレイはそう言うと、着込んでいた服を脱ぎ始めた。

「グ、グレイ隊長？」

兵士が目を丸くする中、グレイにしては薄着の、シャツとズボンという格好になる。

「行くぞ！」

＊　＊　＊　＊

城を出たジェラールとルーシィは、G地区に向かって駆け出す。

街の中で怯《おび》えた表情を浮かべている市民に、ジェラールが頷《うなず》いた。

「大丈夫。落ち着いて、避難区域に移動しなさい」

「は、はい……」

市民が移動するのを見送って、ジェラールが歯がみした。

（いったい、いつまで続くというんだ……！）

「王子！　参謀長！」

裸足《はだし》の少女が、ジェラールとルーシィに向かって駆けてくる。

「ココ！　瓦礫《がれき》が散乱する道で裸足とは……」

ジェラールの言葉に、ココと呼ばれた少女は笑みを浮かべた。

「走るなら、裸足が一番なんですよ」

犬の垂れた耳を模した帽子をかぶり、屈託ない純粋な瞳——旧王国軍では、幕僚長補佐という役職だったココ。

ファウストの考えに賛同できず、王国軍と対立するアースランドの魔導士たちに、力を貸した人物である。

今ではジェラール王子の右腕として、国中を駆けまわっている。

ある願いのために、ココは立ち止まらない。

永遠の魔力より、永遠の笑顔を。

しかし、ココの願いは、まだ叶《かな》えられていない。

レギオンの襲撃が終わらない限り、叶うことはない。

「ケガしたら、走れなくなるんだぞ！」

ルーシィに言われ、ココはシュンと頭を垂れた。

「早く知らせなきゃと思って……」

「知らせ？」

ジェラールの顔が、強《こわ》ばった。

「また、なにか――」

言葉が続かないジェラールに、ココは姿勢を正し、口を開いた。

「A地区、E地区にもレギオンの襲撃あり。その数、100。旧王国軍が所持していたレギオンの全てだと思われます！」

「100!?」

ルーシィが声をあげる。

（そんなにいたの？）

ジェラールと顔を見合わせる。

「どうすんだよ」

「ヴィブリッサもいるG地区に私が行く。ルーシィは、A地区を」

「分かった……」

「ココは、援軍をA地区とE地区に向かわせるんだ」

「分かりました！」

ココはジェラールの言葉に頷《うなず》くと、街の中へと消えていった。

「でも、なんで？」

地響きがする。

一刻の猶予もないのは分かっていても、疑問を口にせずにはいられなかった。

「なんで、今なんだよ！」

「多分……」

ジェラールが、今出てきた城を見上げた。

「アニマのせいだ。アニマが不完全でも展開したせいで、この王都に魔力があると思っているんだろう」

「魔力欲しさに……？」

「多分、な」

悔しそうに呟《つぶや》くジェラールは、顔を引き締める。

「油断はするな。行くぞ！」

駆け出すジェラールを見送って、ルーシィはA地区へと急ぐ。

(できんのか？)

腰に下げている鞭《むち》を手に取る。

魔力がなくなったとはいえ、レギオンは強い。

援軍が来るまでは、ひとりでレギオンたちを相手にしなければいけない。

(あいつなら……)

もう会えないアースランドのルーシィを思う。

(逃げないよな……無理だって分かってても、どうにかしちまうよな……)

グッと鞭を摑《つか》む手に、力がこもる。

(勝って、明日に繫《つな》ぐんだ！)

「って、多い！」

崩れた城壁から見える荒野から、黒い群れが砂煙を立てて、こちらに向かってくるのが確認できる。

「こんなに……」

言葉が続かない。

A地区に民家はなく、それ故に城壁の修繕も後回しにしていた。

ここを突破されれば、国は壊滅状態になるだろう。

「くそっ……」

足が震える。

頭では戦おうと思っても、体がついてこない。

(今日で終わりなのか……)

震える体でひとり、城壁に立ちはだかるルーシィの目の前に、空から鉱石が落ちてきた。

ピンク色をした、手のひらサイズの宝石。

「な、なんだ?」

足もとに転がった鉱石を、訝《いぶか》しげに見やる。

「なんだって、こんなもんが……」

空を見上げる。

別段、変わったところはない。

「爆弾じゃないよな……」

おそるおそる手を伸ばす。

「！」

ルーシィが手に取った瞬間。

その宝石が、まばゆいまでに光り出した。

「うわっ！」

とっさに宝石を投げる。

カツンと瓦礫《がれき》にあたった宝石に、ヒビが入ってしまった。

「やべっ……」

なんだか分からないものが割れてしまった、と顔をしかめたルーシィは、目を疑った。

割れたヒビから煙があがり、その中で人影が揺らめいたのだ。

「だ、誰だ！」

慌てて、鞭《むち》を構える。

（敵……か？）

目をこらし、ジリと間合いを詰めていく。

（すぐそこに、レギオンが来てるっていうのに！）

歯がみしながら、揺らめく人影を見つめるルーシィ。

「……え」

煙の中から現れた人影、それは。

「アースルーシィ……？」

金色《ブロンド》の髪を右にまとめ、腰から鍵束を下げた女の子は、間違いなくアースランドのルーシィだった。

「なんだよ、おい！　久しぶりだな！」

嬉《うれ》しさに、戦場なのも忘れ、ルーシィが駆け寄った。

しかし、アースランドのルーシィは微笑《ほほえ》むだけ。

返事がない。

「なんだよ、どうした？」

体に触れようと手を伸ばした瞬間。

ルーシィの手は、アースランドのルーシィの体を突き抜けてしまった。

「は？　え？」

目をパチクリさせるルーシィを背に、アースランドのルーシィが鍵束から一本、鍵を取り出した。


『助けに来たの』

頭の中に響く声に、ルーシィが顔をしかめる。

『ナツも、グレイも、エルザも……みんな、来てるよ』

アースランドのルーシィが、ルーシィに振り返る。

『みんなでやれば、できないことなんてない。仲間がいれば、なんだってできる。そうでしょう?』

笑みを浮かべるアースランドのルーシィを見て、ルーシィの体が熱くなる。

「おまえ……思念体なのか……」

返事はない。

だけど、自分たちを案じて、再びエドラスを助けに来てくれたことだけは分かる。

「ありがとう……ルーシィ」

涙が込み上げてくるのを抑え、ルーシィは鞭《むち》を構えた。

「来い、レギオン!」

吼《ほ》えるルーシィの足もとで、鉱石がキラリと輝く。

実は、この鉱石――アースランドで、ルーシィが報酬としてもらったものだった。

仲間を思い、星霊を思うルーシィの気持ちを吸い取り、鉱石が魔力を帯びてきたのを、アースランドのルーシィが気付くことはなかった。

その魔力を帯びた宝石は、不完全ながらも起動したアニマに吸い込まれてしまったのだ。

そう。

エドラスのピンチを救うために。

＊　＊　＊　＊

時を同じくして――E地区、G地区でも不思議な出来事が起ころうとしていた。

「ナツ、ビビんな！」

「グ、グレイ……服は？」

「んなこと、どうでもいいだろ！」

ナツとグレイが2人でE地区の城壁前でレギオンと戦っていた。

確実に、一体……そして、もう一体と倒していくが、なかなか数が減らない。

攻撃を避けるだけで精いっぱいだ。

「うわっ！」

瓦礫《がれき》に足を取られ、ナツが尻餅《しりもち》をつく。
目の前には、血走った目つきのレギオン。
大きな口を開けて、ナツに迫っている。
「ナッ！」
グレイが駆け出した。
間に合いそうになかったが、それでも仲間を失うわけにはいかない。
（身を挺《てい》しても守る！）
そのときだ。
迫るレギオンの口に、コツンとなにかが当たった。
「ん？」
グレイが目をこらす。
それは蒼《あお》い宝石だった。
勢いをそがれたレギオンが、怒りにまかせ、その宝石を足で砕く。
その瞬間。
あたりはまばゆい光に包まれ、冷気が立ちこめた。
「な、なに？」
泣きそうになっているナツが、顔を上げる。

視線の先には、自分に背を向けた上半身裸の男が立っていた。

「だ、誰……？」

目をこらして見てみると、それはグレイだった。

「グレイ⁉」

「あん？」

冷気の中から、薄着のグレイが顔を出す。

「って、オレー！」

「な、なんでグレイが2人？」

「知らねーよ、なんだ、これ」

突如現れた仁王立ちのグレイをつつくグレイ。

「んなっ！」

指がグレイの体に突き刺さっている。

「魔法みたいだね、これ……」

ナツがこわごわと、現れたグレイに近づく。

『なに、グダグダやってんだよ』

「ひっ！　な、なにこれ！」

頭の中に響く声に、ナツがガタガタと震えだす。

「今の声……こいつからか？」

グレイが、自分そっくりの裸男を睨《にら》み付ける。

「な、なんだよぉ、これ……」

「もしかして……アースランドの……」

『見てらんねーよ。ナツも暴れたがってるから、出してくれ』

冷気をまとったグレイが、ターゲットを見失い、暴れているレギオンの足もとを指さす。

燃えるような赤い宝石が、転がっていた。

「あれか！」

グレイが取りに行こうと駆け出した、そのとき。

レギオンの一匹が、宝石を粉々に粉砕する。

「げ、壊れた！」

『いってええええええええ！』

「グギャアアア！」

レギオンが、足もとから燃えていく。

全身に炎が燃え移ったレギオンが、困惑しているレギオンの群れに投げ飛ばされた。

「ボ、ボクさん？」

ナツが言葉を投げかけると、炎をまとったナツが振り返る。

『家族だろ、オレら』

そう聞こえて、ナツがコクンと頷《うなず》いた。

（離れていても……）

恐怖で震えていた体に、力が張《みなぎ》ってくる。

『やるぞ！』

『おまえに言われなくても！　作戦Tだ！　お先っ！』

裸のグレイが、レギオンの群れに突撃していく。

続いて、全身に炎を纏《まと》うナッツが駆け出す。

炎で焦がされ、全身を凍らされて、レギオンが次々と倒れていくのを見て、グレイが首をかしげる。

「作戦Tってなんだ？」

「なんだろう？　アースランドの作戦だよね……？」

ナッツも不思議そうにする。

「とにかく、負けてられねーな。ナッツ、行くぞ！」

「うん！」

突撃したナッツの、構えた剣の切っ先が、レギオンの足に当たった。

「ボ、ボクだってできるんだ！　ボクさんができて、ボクにできないことなんてないっ！」

恐怖心を押し殺し、何度も何度も斬りかかる。

「仲間がいれば、なんだってできるんだっ！」

＊　＊　＊　＊

一方——大きなカエル、ヴィブリッサとレギオンが襲撃してきたG地区。

エルザ2人が、背中合わせになり、レギオンと対峙《たいじ》していた。

「まさか、おまえが助けに来るとはな……」

エルザの言葉に、長い髪を揺らしたエルザが微笑《ほほえ》む。

『友人たちが困っているのを知っては、見過ごすわけにはいかないだろう』

「友人と思ってくれているのか……」

エルザの目に、じんわりと涙が浮かぶ。

「もう少しだ！　王国に平和を！」

エルザが、群れに駆け出した。

今はもう……発動しないと知っていても、魔鎗《まそう》テン・コマンドメンツを手に構えている。

ヴィブリッサたちはすでに撤退し、残すはレギオンだけ。

それも、ひときわ大きなレギオンは、先ほどから攻撃しても、揺らぐこともなく、立ち塞がっている。

「こいつ……」

エルザがレギオンを見すえる。

見たことがある。

額に装飾をほどこした跡があるレギオン。

「見たことがあるぞ……こいつ！」

たじろぐエルザの背後から、ジェラールが駆け出す。

「止まるな、エルザ！　やられるぞ！」

「それ、王様のレギオンだよう！」

兵士の間から、ココが駆け出してくる。

「父の……？」

ジェラールがレギオンを見上げた。

斬り伏せられた仲間のレギオンを見て、悲しそうな表情を浮かべている。

兵士やエルザに取り囲まれているにもかかわらず、レギオンは微動だにしない。

「きっと、なにか言いたいんじゃないかな？」

ココが、ゆっくりとレギオンに近づいていく。

戦闘向きではないココを、ジェラールが引き留める。

「ココ、危ない！」

「でも、だって……」

元々、ココはレギオンと仲が良かった。

自身のレギオンを、レギピョンと名付け、かわいがっていたほどなのだ。

ココには、なにか感じるものがあるのかもしれない。

「だが——」

荒ぶるレギオンにココを近づけさせて、もし、ケガでもしたら……。

逡巡《しゅんじゅん》しているジェラールに、緋色《ひいろ》の髪をなびかせたエルザが言葉を投げかける。


『私に任せろ』


頭の中でエルザの声が響いた。

「任せるって、なにを……」

エルザは、慈眼の剣をレギオンの前に掲げた。

慈眼の剣がほのかに光り出す。

「エルザ！」

ジェラールが、エルザの腕を取った。

いや、取ろうとしても、思念体なので摑《つか》めないのだが。

「なにするつもりだ！」

エルザは剣を天高く掲げ、朗々と呪文を口にする。

『剣に宿りし、慈愛の光よ……かの者の内にある邪を滅せよ！』

言うと同時に、慈眼の剣が激しく光り出す。

その光は、目の前で立ちすくんでいるレギオンを、優しく包み込んだ。

「え、エルザ……なにして……」

ジェラールが、おそるおそるレギオンに近づいた。

慈愛の光に包まれたレギオンの瞳は、落ちつきの色を取りもどしている。

あの頃の、旧王国軍に仕えていたときのレギオン、そのままだ。

エルザの放った魔法のおかげで、邪《よこしま》な気持ちが取り払われたからだろう。

「オオオン……オオン……」

頭を下げ、ジェラールになにかを訴えている。

「これは、なんだ……」

戸惑うジェラールの横で、エルザも魔鎗《まそう》を下げた。

「王子、任せてもらえますか？」

ココが、ジェラールの顔を覗《のぞ》き込んだ。

「私なら、きっと……」

「分かった」

そう答え、ジェラールは剣を下げる。

ココの小さな手が、レギオンの額に触れた。

まるで母親になつくように、レギオンがとぎれがちの声で鳴き始める。

「うん、うん……そっか」

慈しむような瞳で、ココがレギオンを撫《な》でる。

その様子を見ながら、エルザがジェラールに近づいていく。

「王子。魔力がなくなったレギオンを、野良に返したのがいけなかったのでは……？」

「なんだと？」

ジェラールがエルザに振り返る。

「元々、レギオンは温厚な魔物です。人になつくのも早かった。だから、捨てられてヤケになったとしか……」

「そ、そうか……」

ジェラールを見守る、アースランドのエルザは、コクリと頷《うなず》く。

「それに気付かせるため……おまえは、アースランドから来てくれたというのか……」

ジェラールの目に、涙が浮かぶ。

「たしかに……復興ばかりで、部隊のレギオンまでは考えていなかった……」

ジェラールが納得したように呟《つぶや》く。

「飛べるレギオンを使えば……復興は早まるんじゃないでしょうか」

ココが顔を上げ、ジェラールに訴える。

「レギオンは、自分の居場所が欲しかった。だったら、作ってあげましょうよ」

「しかし……魔力なくして、レギオンを制御できるものなのか？」

「できます！」

力強く答えるココの背後で、レギオンが頷《うなず》いた。

「レギオンも、できるって！」

肩をすくめるエルザが、ジェラールに向き直る。

「信じてみましょうか」

エルザの言葉に、ジェラールが肩の力を抜いた。

「……そうだな」

そう呟いたジェラールの遥《はる》か後ろ――王都のほうから、兵士や民の歓喜の声が聞こえてくる。

『この世界はこれからだな』

長い髪が揺らめく。

エルザの体が透けていく。

「おまえたちには、救われてばかりだな」

ジェラールが、目を擦《こす》った。

「ありがとう」

エピローグ

「ハッピー！　ねぇ、ハッピーってば！」

テーブル席で、魚を食べているハッピーに声をかけたルーシィ。

その顔は、明らかに怒っている。

抑えなきゃ、とは思うけれど、今日ばかりはそういうわけにはいかない。

「あい？」

屈託のないまんまるい瞳でルーシィを見上げたハッピーは、ルーシィの顔を見て、なにやら悟ったらしい。

「きょ、今日もイイ天気だね、ルーシィ」

「雨、降ってるわよ！」

そう言って、ルーシィはハッピーの横に座る。

一緒のテーブルに座っていたナツとグレイも、ルーシィの異変に気付いたようだ。

「おい、なんかあったのか？」

「知らねえよ。ハッピーに用があんだろ」

と、コソコソ話をするも、全部ルーシィの耳には届いている。

「あんたたちは黙ってて！」

「…………」

「…………」

あまりの鋭い視線に、ナツもグレイも口を閉じる。

「あ、ナツも関係あるかもね」

「へ？　オレ？　なんだよ」

怪訝《けげん》な表情を浮かべるナツの前で、ルーシィは一息つくと、ハッピーに詰め寄った。

「ハッピー、あんた……うちから、宝石持っていったでしょ！」

「？」

そう言われて、ハッピーは首をかしげるばかり。

（あぁ、もう！）

「ほら、こんくらいの大きさの——」

と、手で形を作ってみせる。

そう。

キャクタス村での依頼でもらった、追加報酬の宝石。

それが家からなくなっていた。

家主のルーシィがいなくても、頻繁に家に出入りしているナッとハッピーが、なんかしら関係しているはずなのだ。

「ピンク色の鉱石よ。部屋に飾ってあったのに、なくなってるの！」

「えー、オイラ、知らないよう」

「オレも。ボールみたいなやつだろ？」

「ボールじゃなくって、鉱石！　遊ぶためのものじゃないの！」

と言ったルーシィは、大きなため息をついた。

自分ひとりでこなした数少ない依頼……その追加報酬はどんな高額なものよりも大切だ。

まぁ、いつかは研磨してアクセサリーにでも、と思っていたけれども。

「あー、宝石なら……オレのも」

グレイが思い出したように口を開く。

「どこやったかな？」

「グレイもなくなってるの⁉」

ルーシィの声が、酒場に響く。

「私もないぞ」

そう言ったのは、たった今、酒場に入ってきたエルザだ。

カチャカチャと身に纏《まと》った鎧《よろい》を鳴らし、ルーシィに向かって歩いてくる。

「私の髪と同じ色……大事に飾っていたはずなんだがな」

「エルザのも？　なんだろう……ギルドを狙った泥棒？」

うーんと考えこむルーシィ。

「オレらも、もらったのあったよな？」

ナツの言葉に、ハッピーがいつも背負っている背中の袋をガサゴソと漁《あさ》り始める。

「あるよう。エクシードからもらったやつ……大事に持って……あれ？」

魚や魚、そして魚と、袋から出てくるのは食料ばかり。

「あれ？　ない！　大事に持ってたのに！」

ハッピーが袋を逆さにする。

でも、もうなにも出てこなかった。

「あれー……どこやったんだろう？」

「オレ、投げた覚えないぞ」

「なによ、みんなないの？」

顔をしかめたルーシィの肩に、エルザが優しく手を置いた。

「大事にしていても、なくなるものはある……気にすることはないんじゃないか？」

「でも……」

ルーシィがガックリと肩を落とす。

(みんなのがなくなってるって、やっぱヘンじゃないの?)

と思ったが、そういうこともあるか……と考えると、不思議と気にならなくなってくる。

「ハッピー、疑ってごめんね」

「いいよ。オイラたちも、ルーシィの家で投げて遊んでたし」

「やっぱ、遊んでたんじゃない!」

いきり立つルーシィに、グレイが一枚の紙を差し出した。

「これでも行って、景気づけに暴れようぜ」

そう言われて、ルーシィは紙を手に取った。

依頼。

チームのみんなで行く依頼。

「仲間がいれば、いいじゃねぇか。宝石なんざ、また手に入る」

グレイの言葉が、心に染み渡る。

「そ、そうね!」

笑みを浮かべるルーシィは、知らない。

なくなった宝石が、違う世界を救ったことを……。

FAIRY

あとがき

はじめまして。あとがきが苦手な川崎美羽です（笑）。

ライトノベルは4年前に別レーベルで書いたきりでして、その間、ずっと児童書のほうでお世話になってました。

さて。『FAIRY TAIL』のお話をいただいたのが、一昨年の夏過ぎでした。紆余曲折《うよきよくせつ》あり、どうにか形になったのも、ひとえに何年もお世話になっている担当さんのおかげです。難波江さん、ありがとう。あなたに足を向けて寝られません。どっちの方角だか分かりませんが。

イラストも、まさかの原作者様に書いていただけるという幸運に感謝せずにはいられません。真島ヒロ様、ありがとうございます。温かいメッセージは宝物です。

そして。

この本を手にとってくださったみなさま、本当にありがとうございます。ビッグタイトルのノベライズにしどろもどろになっている川崎ではありますが、これからも原作ともにお付き合いいただけると光栄です。

２０１２年4月　川崎美羽

講談社ラノベ文庫

フエアリー テイル
FAIRY TAIL
心《こころ》に宿《やど》るcolor《カラー》

原作・イラスト：真島《ましま》ヒロ
著：川崎美羽《かわさきみう》

2012年5月2日第1刷発行

発行者	清水保雅
発行所	株式会社　講談社 〒112-8001 東京都文京区音羽2-12-21
電話	出版部　(03)-5395-3715 販売部　(03)-5395-3608 業務部　(03)-5395-3603
デザイン	Blue in Green
本文データ制作	講談社デジタル製作部
印刷所	豊国印刷株式会社
製本所	株式会社フォーネット社

落丁本・乱丁本は購入書店名を明記のうえ、小社業務部あてにお送りください。送料は小社負担にてお取り替えいたします。なお、この本の内容についてのお問い合わせはラノベ文庫出版部あてにお願いいたします。
本書のコピー、スキャン、デジタル化等の無断複製は著作権法上での例外を除き禁じられています。本書を代行業者等の第三者に依頼してスキャンやデジタル化することはたとえ個人や家庭内の利用でも著作権法違反です。

ISBN978-4-06-375233-5　N.D.C.913　274p　15cm
定価はカバーに表示してあります
©Hiro Mashima
Miu Kawasaki 2012 Printed in Japan

第3回「講談社ラノベ文庫新人賞」大募集!!

「講談社ラノベ文庫」では好評を博した前回に引き続き「第3回ラノベ文庫新人賞」を募集開始します。みなさんの傑作ふるってご応募ください。

次代のラノベ界を制覇してみませんか!!

【募集内容】

主な対象読者を10代中盤～20代前半の男性と想定したオリジナルの長編小説。ファンタジー、学園、ミステリー、恋愛、歴史、ホラーほかジャンルは問いません。


【応募資格】

不問

賞金 **大賞300万円**
優秀賞100万円　佳作30万円

【応募規定】

日本語で書かれた未発表のオリジナル作品に限る(他の公募に応募中の作品は不可)。日本語の縦書きで、1ページ40文字×34行の書式で100～150枚。原稿は必ずワープロまたはパソコンでA4横使用の紙に出力してください(感熱紙への印刷、両面印刷は不可)。手書き原稿、フロッピーやCD-Rなど記録メディアでの応募は不可となります。

ラノベ文庫公式ホームページ(http://kc.kodansha.co.jp/ln)から専用エントリーシートをダウンロードし、そこに作品タイトル、郵便番号、住所、氏名(本名、ペンネーム使用の場合はペンネームも併記)、年齢、性別、電話番号、メールアドレス(ある方のみ・PC用推奨)、略歴・応募歴、原稿枚数を明記してください。
①エントリーシート／②作品タイトルとあらすじを書いた紙(あらすじは800字以内で書いてください)／③応募作品本体(必ず順番にページをふること)の順に重ねて、右上をダブルクリップで綴じて送ってください。

【あて先】
〒112-8001
東京都文京区音羽2-12-21
㈱講談社ラノベ文庫編集部
『第3回ラノベ文庫新人賞』係
[電話]03-5395-3715
[メールアドレス]k-ln@kodansha.co.jp

【締め切り】
2013年4月30日 当日消印有効

【発表】

2013年発売の文庫挟み込みチラシとラノベ文庫公式ホームページにて発表予定。なお、審査についてのお問い合わせにはお答えできません。

[注意事項]
●複数応募可。ただし、1作品ずつ別送のこと。応募作品は返却しません。
●受賞作品の出版権等は株式会社講談社に帰属します。
●営利を目的とせず運営される個人のウェブサイトや同人誌等での作品掲載は、未発表と見なし応募を受け付けます(掲載したサイト名または同人誌名を明記のこと)。
●1次選考通過者の方には評価シートをお送りします。

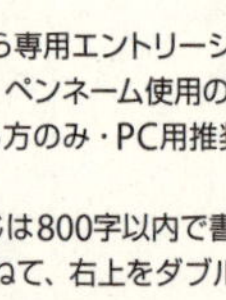

受賞者から続々デビュー決定!

詳細は講談社ラノベ文庫公式ホームページ **http://kc.kodansha.co.jp/ln** まで
※メールおよびホームページアドレス末尾の文字"ln"のlはアルファベット小文字のl(エル)です。